Anna Seghers

mit Selbstzeugnissen und Bilddokumenten
dargestellt von Christiane Zehl Romero

Rowohlt

rowohlts monographien begründet von Kurt Kusenberg
herausgegeben von Wolfgang Müller

Redaktion: Uwe Naumann
Redaktionsassistenz: Katrin Finkemeier
Umschlaggestaltung: Walter Hellmann
Vorderseite: Anna Seghers, Ende der vierziger Jahre
(Ruth Radvanyi, Berlin)
Rückseite: Titelholzschnitt von Leopoldo Méndez für die erste
deutschsprachige Buchausgabe von Anna Seghers' Roman
«Das siebte Kreuz» im Verlag El Libro Libre, Mexiko 1942
(Akademie der Künste zu Berlin, Anna-Seghers-Archiv)

Originalausgabe
Veröffentlicht im Rowohlt Taschenbuch Verlag GmbH,
Reinbek bei Hamburg, Januar 1993
Copyright © 1993 by Rowohlt Taschenbuch Verlag GmbH,
Reinbek bei Hamburg
Alle Rechte an dieser Ausgabe vorbehalten
Satz Times PostScript Linotype Library, PM 4.0
Langosch Grafik + DTP, Hamburg
Gesamtherstellung Clausen & Bosse, Leck
Printed in Germany
1090-ISBN 3 499 50464 2

2. Auflage 9.–11. Tausend April 1994

Inhalt

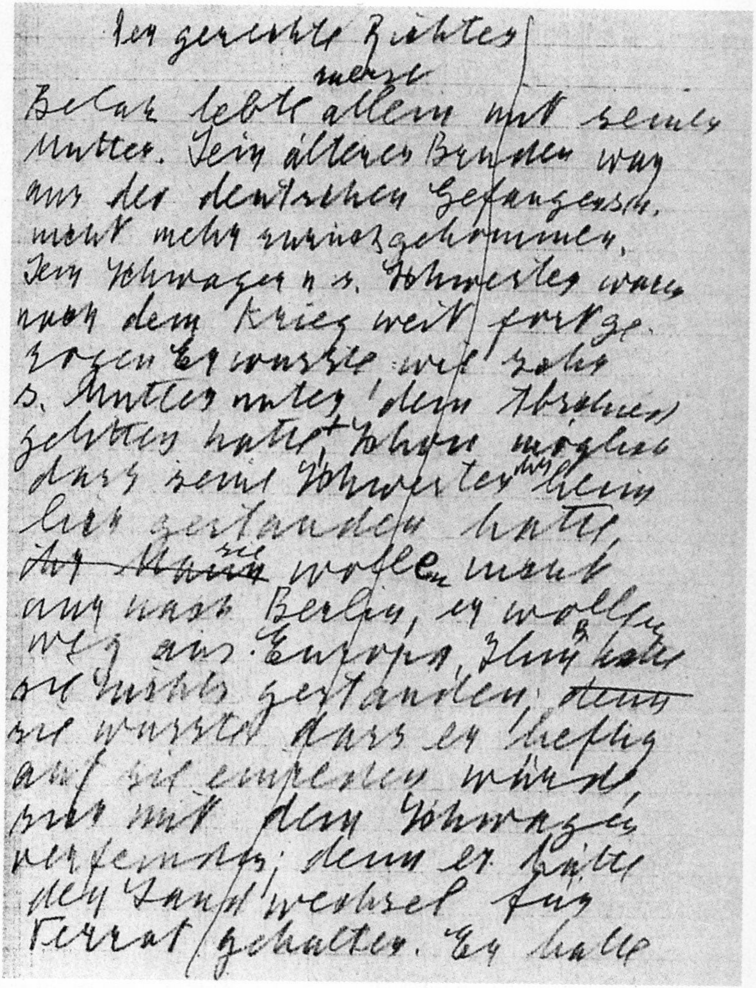

Manuskriptseite der Erzählung «Der gerechte Richter»

Der Originaleindruck: Mainz

Ich fragte mich, wie ich die Zeit verbringen sollte, heute und morgen, hier und dort, denn ich spürte jetzt einen unermeßlichen Strom von Zeit unbezwingbar wie die Luft. Man hat uns nun einmal von klein auf angewöhnt, statt uns der Zeit demütig zu ergeben, sie auf irgendeine Weise zu bewältigen. Plötzlich fiel mir der Auftrag meiner Lehrerin wieder ein, den Schulausflug sorgfältig zu beschreiben. Ich wollte gleich morgen oder noch heute abend, wenn meine Müdigkeit vergangen war, die befohlene Aufgabe machen.[1]

Diese Worte beenden Anna Seghers' einzige offen autobiographische Geschichte *Der Ausflug der toten Mädchen*, die Christa Wolf «eine der schönsten Erzählungen der modernen deutschen Literatur» genannt hat.[2] Sie weisen auf einen Grundimpuls, der Leben und Schreiben der Autorin bestimmte: Seghers wollte sich ihrer Zeit nie demütig ergeben, sondern sie gestalten – als politische, engagierte Schriftstellerin. Die Rolle, die die erste Hälfte ihres Jahrhunderts für sie als Frau und deutsche Jüdin bereithielt, nämlich stilles Opfer der Geschichte zu werden, lehnte sie seit ihrer Jugend konsequent ab. Der Schlußsatz der Erzählung, der das Bedürfnis ausdrückt, sich beim Schreiben auf *die befohlene Aufgabe* zu berufen, deutet aber auch auf die tiefe Problematik im Engagement dieser Autorin.

Netty Reiling, so hieß Anna Seghers mit ihrem Mädchennamen, wurde am 19. November 1900 als einziges Kind einer wohlhabenden, kultivierten Familie in Mainz geboren. Der Vater Isidor Reiling (1868–1940) führte zusammen mit seinem Bruder eine Antiquitäten- und Kunsthandlung am Flachsmarkt 2, am Rande der Mainzer Altstadt.[3] Nicht weit davon, in der Kaiserstraße 34 1/10, wohnten die Reilings. Die Mutter Hedwig, geborene Fuld (1880–1942), stammte aus einem alteingesessenen Frankfurter Haus. In der Erzählung *Ausflug der toten Mädchen* beschwört Anna Seghers – ein einziges Mal – das Bild und Schicksal dieser Frau, die Anfang März 1942 nach Polen deportiert wurde und dort umkam[4]: *Meine Mutter stand schon auf der kleinen mit Geranienkästen verzierten Veranda über der Straße… Wie jung sie doch aussah, die Mutter… Sie stand vergnügt und aufrecht da, bestimmt zu arbeitsreichem Familienleben, mit den gewöhnlichen Freuden und Lasten des Alltags, nicht zu einem qualvollen, grausamen Ende in einem abgelegenen Dorf, wohin sie von Hitler verbannt worden war.*[5]

Den von Heimweh verklärten, zur Fiktion verdichteten Erinnerungen an Eltern und Zuhause in der Erzählung stehen in Seghers' spärlichen privaten Äußerungen nüchterne und kritische Bemerkungen gegenüber. Spät in ihrem Leben gestand sie, daß sie *kein so gutes Verhältnis*[6] zur Mutter hatte. Dem Vater – er *zeigte für mich mehr Verständnis als meine Mutter*[7] – fühlte sie sich *näher*. Die elterliche *Etagenwohnung* mit ihrer *typischen bürgerlichen Wohnzimmeratmosphäre* fand sie *Fürchterlich! Und das Eingesperrtsein darin war mir so zuwider, daß der Drang in mir immer stärker wurde, so schnell wie möglich auszufliegen, wegzufliegen*[8]. Andererseits betonte sie einige Male die Freiheit, die ihr die Eltern gewährten. *Wir liefen überall herum, in der alten kleinen Stadt*[9], erinnerte sie sich. Wenn Seghers auch von sich sagte: *Ich war ein fürchterliches Kind, ich machte meinen Eltern immerzu Probleme*[10], so waren es doch nicht die Konflikte mit den Eltern, sondern es war ein tieferes Ungenügen, das sie das angenehme, aber beschränkte jüdisch-bürgerliche Leben zu Hause ablehnen ließ. Im *Ausflug* spricht die Ich-Erzählerin von einer jugendlichen *Lust auf absonderliche ausschweifende Unternehmungen*[11], und im Zusammenhang mit der frühen Dostojevskij-Lektüre fallen verächtliche Worte über die *eigenen bläßlich-kleinbürgerlichen Sippen, die zu keinem starken Gefühl, zu keinem starken Gefühlsausbruch fähig waren*[12]. Daß es Netty Reiling sehr ernst war mit ihrem Widerwillen und ihrem Wunsch auszubrechen, zeigen Werk und weiterer Weg von Anna Seghers. Dennoch scheinen die Beziehungen zu den Eltern im großen und ganzen gut gewesen und geblieben zu sein. Als Seghers 1933 aus Deutschland floh, halfen ihr die Eltern sehr wesentlich, blieben aber selbst in der angestammten Heimat. Im letzten Moment versuchte die Tochter noch, ihre Mutter zu retten, es war aber bereits zu spät.

Isidor Reiling gehörte zur «Israelitischen Religionsgemeinschaft», der orthodoxen Gruppe der rund 3000 Mainzer Juden, Hedwig Reiling war im Vorstand des jüdischen Frauenbunds. Berichten zufolge wurde Netty zunächst in den strengen Regeln und Gebräuchen der elterlichen Religion erzogen[13] und trat erst zwischen 1925 und 1927 aus der jüdischen Gemeinde aus.[14] Anna Seghers selbst erwähnte diesen Aspekt ihrer Kindheit jedoch nie. Auch unter den vielen Stoffen und Motiven, die sie später in ihren Erzählungen und Romanen verwendet, spielen jüdische eine sehr geringe Rolle – mit einer bedeutenden Ausnahme, der im mexikanischen Exil verfaßten Erzählung *Post ins gelobte Land*, auf die noch zurückzukommen ist.

Die dominante Religion ihres Kulturraums, das Christentum, beschäftigte Seghers, wie andere deutsche Juden der Zeit[15], wesentlich mehr. Die *christliche Lehre mit ihrer Substanz von innerer Freiheit*[16] stellte ihrer

8

Netty Reiling als Kind

Meinung nach Ansprüche an die Menschen und die menschliche Gemeinschaft, die allgemeine Gültigkeit besaßen. In ihrer Dostojevskij-Studie
schreibt sie im Anschluß an die *christlichen Gedankengänge* des russischen Dichters: *Viele Menschen haben sich von den religiösen Bindungen
gelöst, nicht weil sie ihre ethischen Forderungen für ungültig erklärten,
sondern weil sie sich an neue, der Epoche erwachsene, erweiterte ethische
Forderungen gebunden fühlen.*[17] Das galt auch für sie selbst: Die aus dem
jüdischen Elternhaus übernommenen Werte gingen auf in den herrschenden christlichen und wurden dann zu sozialistischen *erweitert*. Der Sozialismus setzte die Aufgabe der christlichen Religion, Anwalt der Armen
und Schwachen zu sein, fort und übernahm damit eine wichtige soziale
Funktion der Religion. Aber auch für den einzelnen wurde er Religionsersatz, da er dem Leben Sinn gab und Hingabe forderte. Christliche Sym-

bolik, die Seghers in Mainz, in vielen Kunstwerken, mit denen ihr Vater handelte, und in der Literatur, die sie las, überall umgab, spielt in ihrem Werk eine bedeutende Rolle und unterstreicht diese Kontinuität.

Als kleines Kind, als ganz kleines Kind, bevor ich in die Schule ging, war ich oft krank, und dabei lernte ich verhältnismäßig früh lesen und dadurch auch schreiben. Und dann erfand ich, hauptsächlich weil ich allein war und mir eine Umwelt machen wollte, alle möglichen kleinen Geschichten, die ich mir vorerzählte.[18] Dem Kind schon wurde Erzählen, eigenes und fremdes, zur Lebenshilfe, wobei die frühen Leseeindrücke auch später einflußreich blieben: *Die Geschichten aus den ersten Kinderbüchern, die man mir schenkte, gefallen mir noch heute,* bekannte Seghers und ließ in ihrer Erzählung *Die Reisebegegnung* Franz Kafka sagen, was für sie selbst zutraf: *Ich liebe Grimms Märchen. Von ihrer Sprache lernte ich viel. Ich muß gestehen, den Sinn und den Rhythmus mancher Sätze habe ich mir angeeignet.*[19] Im selben Zusammenhang zitiert Kafka außerdem eine chassidische Legende. Obwohl Seghers sonst nie davon sprach, ist anzunehmen, daß solche Texte ebenfalls zur Kindheitslektüre gehörten und Spuren im Werk hinterließen, die noch zu untersuchen wären.[20]

Anna Seghers blieb ihr ganzes Leben eine eifrige Leserin – mit sehr weitem und internationalem Horizont. Stets bestand sie darauf, daß ihr Literatur Beistand zum Leben bot. *Auch in der schwersten und dunkelsten Zeit* habe ihr ein Buch *geholfen,* erklärte sie. *Manchmal half es mir, weil es mich nicht allein ließ in einer verwirrenden oder scheinbar lichtlosen Wirklichkeit, in die sich der Autor tiefer hinein gewagt hatte als mancher Freund. Manchmal riß mich ein Buch aus der Wirrnis in eine stürmische, aber klare Welt, die völlig anders als meine war.*[21]

Seit ich Buchstaben schreiben kann, schreibe ich.[22] Die Mutter, die Literatur liebte, förderte diese Neigung ihrer Tochter. *Veröffentlicht wurden natürlich meine schriftlichen Arbeiten viel, viel später, da gingen manche Fehlschläge sicherlich voraus… Aber schließlich und endlich, nachdem ich schon sicher manche Geschichte Freunden vorgelesen hatte und darüber mit ihnen gesprochen, mich gefreut, mich verkracht, wurden die ersten Arbeiten von mir veröffentlicht*[23], erinnert sich Seghers an ihre Anfänge. Kontinuierlich schrieb sie weiter, auch unter den schwierigsten Bedingungen. *In meiner Arbeit gab es keine Krisenzeiten. Im Gegenteil, die Arbeit half mir über schwere Zeiten hinweg*[24], *ich versuche allerorts zu schreiben, was ich mir vornahm*[25].

Seghers ging bei ihrem gelassenen Vertrauen in die fortdauernde Möglichkeit und Notwendigkeit des Erzählens von einer Grundvorstellung aus, die auf dem großen Eindruck beruhte, den Märchen und Sagen auf sie gemacht hatten. Nicht so sehr die Literatur, also das geschriebene Wort, stand für sie im Zentrum, sondern das Erzählen selbst, und zwar zunächst das mündliche, weil es direkt auf die unmittelbaren Bedürfnisse und Bezüge des alltäglichen Lebens einging. *Meistens,* erklärt sie in einem frühen

Mit der Mutter
Hedwig Reiling

Aufsatz, *Kleiner Bericht aus meiner Werkstatt* betitelt, *erzählt man deutlicher, als man schreibt. Knüpft im Erzählen an Geschehenes und Gehörtes an, während man schreibend leicht an Geschriebenes anknüpft statt an die sichtbare Wirklichkeit. Deshalb ist es gut, was man schreiben will, zuerst einem imaginären Zuhörer zu erzählen.*[26] In ihren Werken schuf sie häufig Situationen, die mündliche Darstellung thematisieren und Erzähler- wie Zuhörerfiguren auftreten lassen, um Deutlichkeit und Wirklichkeitsbezug zu erhöhen. Nicht immer waren die Zuhörer für sie selbst nur imaginäre. So ließ sie Kinder und Mann an ihren Geschichten teilnehmen, indem sie ihnen daraus erzählte[27], vor allem auf gemeinsamen *Spaziergängen* [28]. Der Sohn berichtet in einem Interview von 1990: «Sie hat immer wieder neu erzählt, bis sie uns ganze Sätze, die dann wirklich geschrieben wurden, vorgedichtet hat. So wie man ein Gedicht aufsagt, hat sie ganze Sätze aufgesagt. Ich erinnere mich noch an deren Klang…»[29]

Seghers trennte ihr Privatleben aber streng von ihrem Beruf. Fragen nach ihren persönlichen Erfahrungen wehrte sie ab, indem sie erklärte: *... die Erlebnisse und die Anschauungen eines Schriftstellers, glaube ich, werden am allerklarsten aus seinem Werk, auch ohne spezielle Biographie.*[30] Die private Existenz des Autors oder der Autorin hielt sie für ein Leben wie jedes andere, mit den Freuden und Sorgen des Alltags, mit Familie und Freunden. Wichtig war das Wie und Was des Erzählens, das heißt nicht nur das Werk, sondern auch die Funktion, die es – und damit auch der Beruf des Schriftstellers oder der Schriftstellerin – in der Gesellschaft hatte. Seghers schuf sich – wie Brecht, allerdings nicht so prononciert – eine «persona», die ihre Auffassung von der Rolle der Kunst und der Künstlerin ausdrückte. Im Laufe eines langen Lebens und mit dem Zutun vieler anderer entstand daraus der Mythos von «unserer Anna», der großen Künstlerin und treuen Genossin – streng und nüchtern, geheimnisvoll und naiv –, der sich leicht ge- und mißbrauchen ließ, den sie selbst aber weder zerstören wollte noch konnte. Dahinter stand eine lebendige, bis ins Alter schöne, etwas eitle und gesundheitlich keineswegs robuste Frau, die gern lustig war, aber oft Grund zur Verängstigung hatte. Sie war äußerst *zäh* und lernte in ihrem unsicheren Leben Loyalität und etwas *Festes* überaus hoch zu schätzen.

Netty Reiling kam 1907 zunächst auf eine sehr kleine, aber angesehene Privatschule in Mainz, dann nach drei Jahren auf die Höhere Mädchenschule[31] und schließlich 1917 aufs Gymnasium[32], wo sie im Jahre 1920 das Abitur ablegte. Sie ging, so die Erinnerungen der Seghers, *sehr gern* in die Schule[33] und galt bei Lehrerinnen und Mitschülerinnen als intelligent. «Klug, reif, bescheiden» und «sehr zurückhaltend», «sehr fein», «sehr zart» sind die rückblickenden Urteile einer ehemaligen Lehrerin.[34]

Elternhaus und Schule wirkten nun zusammen, um die Lern- und vor allem Lesefreudigkeit Nettys, die weiterhin oft krank war und außer Wandern keinen Sport trieb, zu fördern.[35] Lektüre öffnete ihr die Tür zu den unbekannten neuen Welten, nach denen sie sich sehnte, und war leicht erreichbar. *In meinem Elternhaus gab es viele Bücher*, erinnert sie sich, *und ich las durcheinander alles, bevor man mir es erlaubte.*[36] So ungern Anna Seghers über sich selbst sprach, so bereitwillig gab sie Auskunft über die Autoren, die sie besonders schätzte: Heinrich Heine, Georg Büchner, Balzac[37], außerdem *Schillers Dramen*, die auf sie *als Schulkind großen Eindruck gemacht* hätten.[38] Auch Tolstoj und Dostojevskij lernte sie schon damals kennen[39] und versuchte an ihnen Russisch zu studieren[40], ihre große Begeisterung für diese Literatur fiel aber erst in die Studienjahre. Ein anderes Buch, das sie tief berührte, war «Le Feu» («Das Feuer», 1918) von Henri Barbusse. Es trug bei dazu, daß sie damals für *die Ungerechtigkeit des Krieges und dadurch die Losung «Brot und Frieden»... aufgeweckt* wurde.[41]

Der Erste Weltkrieg und seine Folgen griffen nicht unmittelbar zerstö-

Der Flachsmarkt in Mainz, an dem das väterliche Geschäft lag

rend in den Alltag des heranwachsenden Mädchens ein. Die vorübergehende französische Besetzung von Mainz hinterließ nur positive Erinnerungen. Aus der relativen Geborgenheit ihres bürgerlichen Elternhauses heraus verfolgte Netty Reiling jedoch die geistigen, sozialen und politischen Umwälzungen der Zeit um 1918 mit großer Anteilnahme. Die Ereignisse beeinflußten sie nachhaltig und trugen wesentlich zur Loslösung aus dem gewohnten Rahmen bei. Zunächst blieb die Schule wichtige Vermittlerin; *... ich war noch in der Schule ... als der Krieg endete. Es gab die französische Besatzung, Unruhen, die Jugendbewegung. Manche Lehrer traten einer Bewegung bei, die wie ich glaube, «Bund entschiedener Schulreformer» hieß. All das war fühlbar im Schulleben ... Eine Mitschülerin, die ich sehr gern hatte, aus einer Lehrerfamilie, selbst Lehrerin, kündigte ihren Dienst, ging mit einer befreundeten älteren Lehrerin in das damals links-regierte Sachsen ...*[42]

Man sollte Anna Seghers später oft fragen, welchen Eindruck die Oktober-Revolution in Rußland auf sie gemacht und wann ihre Politisierung begonnen habe.[43] In ihren Antworten nannte sie den Ersten Weltkrieg *mit seinen Härten und Schwierigkeiten für jeden einzelnen* als Anstoß; *was die Oktoberrevolution bedeutet hat,* habe sie jedoch nur *langsam, indirekt* erfahren.[44] Bis die Nachricht davon zu ihr gelangte, seien die Informationen für sie *derartig widerspruchsvoll und oft sonderbar* gewesen, *daß ich von alleine gar nicht recht daraus klug wurde. Aber sehr schnell habe ich darüber nachgedacht und sehr schnell war dieses Ereignis für mich verbunden mit einem neuen Begriff, ja sagen wir es doch einfach, mit einem neuen,*

Netty Reiling (rechts) um 1918, mit der Jugendfreundin Ria Denk,
der Gerda aus dem «Ausflug der toten Mädchen»

*starken unerhörten Begriff von Gerechtigkeit. Ich glaube, so sonderbar es
klingt, das war damals das erste vorherrschende Gefühl, als ich noch gar
nichts von Politik verstand. Ich hatte zum ersten Mal voll und ganz verstanden, noch bevor es mir jemand erklärte, daß es ein Oben und Unten, ein
Hoch und Niedrig gibt. Das, was wir heute einfach Klassen nennen, das
hatte ich damals in meiner Weise als ganz junger Mensch verstanden.*[45]

Seghers trennt also – aus der DDR zurückblickend – zwischen ihrem
sich früh entwickelnden Sozial- und Gerechtigkeitsgefühl und der Heraus-
bildung eines politischen Bewußtseins, das erst später kam, aber im Grunde – das sagt sie nicht – immer auf emotionaler Parteinahme basierte. Für
politische Theorie interessierte sie sich nie besonders. Der Hauptimpuls,
der Leben und Arbeit bestimmte, war stets Solidarität mit den Armen
und Unterdrückten. Wenn Seghers einmal erklärte: *… übrigens… war ich
meiner ganzen Gemütsart nach kommunistisch gesinnt*[46], dann sprach sie
in erster Linie von ihrer Sehnsucht nach einer Gemeinschaft, die die Ab-
grenzungen und Ungerechtigkeiten der Welt, in der sie aufgewachsen war,
überwinden sollte, nicht von politischer Gesinnung.

Das Verlangen nach sozialer Gerechtigkeit verband sich in Seghers'
Jugend früh mit Vorstellungen von Revolte und Kampf. So erzählte sie
über die Anfänge ihrer sozialen und politischen Sensibilisierung: *Ich sah
jetzt mit wachen Augen, daß es Menschen gab, die schlechter als andere
gekleidet waren, daß es Menschen mit schlechten Schuhen gab. Ich scheute*

mich, bessere Schuhe zu tragen als diese. Ich sah mit erschrockenen Augen, wie man durch die Stadt einen Gefesselten führte, einen Menschen, der gegen weiß der Teufel was revoltiert hatte.[47] Nicht nur Schrecken lag in dem Bild, auch Faszination.

Netty Reiling gab sich 1920 nicht mit dem Abitur zufrieden, sondern begann an der Universität Heidelberg ein akademisches Studium. Die Wahl des Hauptfachs, Kunstgeschichte, verrät noch den Einfluß des Elternhauses, doch entfernte sie sich in der Heidelberger Zeit unwiederbringlich von der Welt ihrer Kindheit und frühen Jugend und damit auch von ihrer Heimatstadt Mainz, in die sie zwar noch gelegentlich zurückkehrte, aber nicht, um auf Dauer hier zu leben. Ursprünglich war sie darüber nur froh. Extrem formuliert sie einmal: *Ich wollte überhaupt nur studieren, weil ich fürchterliche Angst hatte, in dem Nest Mainz hängenzubleiben.*[48]

Aus der Distanz eines langen, von vielen Reisen erfüllten Lebens, das Anna Seghers berühmte Großstädte – Berlin, Paris, Mexico City – zum nicht immer freiwillig gewählten Wohnsitz bot, erhielt das kleine Mainz dann aber eine andere Bedeutung: *In dieser Stadt, in der ich meine Kindheit verbrachte, empfing ich, was Goethe den Originaleindruck nennt; den ersten Eindruck, den ein Mensch von einem Teil der Wirklichkeit in sich aufnimmt, ob es der Fluß ist, oder der Wald, die Sterne, die Menschen. – Ich habe versucht, in vielen meiner Bücher festzuhalten, was ich hier erfuhr und erlebte. Es ist kein Zufall, daß mein Roman: «Das siebte Kreuz» in der Gegend von Mainz spielt, kein Zufall, daß der Flüchtling Georg Heisler sich eine Nacht im Mainzer Dom versteckt. Kein Zufall, daß ihm auf einem Rheinschiff die Flucht gelingt.*[49] Bis ins späte Alter bewahrte sich Anna Seghers nicht nur die Erinnerungen, sondern auch den Tonfall ihrer Heimatstadt.

Noch mehr als die Stadt war es der Fluß, an dem sie lag, der Seghers bleibend beeindruckte: *Ich bin vom Rhein und sah jeden Tag den Rhein mit Neid an, weil er bald in Holland ins Meer fließen wird.*[50] Bereitwillig bestätigt die Autorin, was jedem Leser ihrer Werke auffällt: *Ein Fluß spielt fast in allen meinen Geschichten und all meinen Romanen eine gewisse Rolle.*[51] Oft ist er Sinnbild für Weite, Veränderung, Befreiung oder für die Sehnsucht danach. Aber auch die Besonderheit des Rheins, die Art, wie er Landschaft und Menschen geformt hat, blieb prägende Erinnerung. In ihrem im Exil geschriebenen Roman *Das siebte Kreuz* entwirft Anna Seghers ein großangelegtes Bild dieses alten Kulturraums, den sie stets mit einem Anflug von Stolz – und im Exil mit Wehmut – ihre Heimat nannte. Nur ein kurzer Ausschnitt daraus: *Wenn man den Rhein auch von hier aus nicht sieht, da er noch fast eine Eisenbahnstunde weg ist, so ist es doch klar, daß diese weiten, ausgeschwungenen Abhänge mit ihren Feldern und Obstbäumen und tiefer unten mit Reben, daß der Fabrikrauch, den man bis hierherauf riecht, daß die südwestliche Krümmung der Eisenbahnlinien und Straßen, daß die glitzernden schimmrigen Stellen im*

15

Mainz

Nebel… – daß das alles schon Rhein bedeutet… Jedes Jahr geschah etwas Neues in diesem Land und jedes Jahr dasselbe: daß die Äpfel reiften und der Wein bei einer sanften vernebelten Sonne und den Mühen und Sorgen der Menschen.[52]

Anna Seghers befaßte sich in der Emigration eingehend mit den von den Nationalsozialisten mißbrauchten Begriffen Heimat und Vaterland und versuchte sie neu und positiv zu besetzen, indem sie eine soziale Definition vorschlug: *Trösten die heiligen Güter der Nation die Besitzlosen?… Tröstet die «heilige Heimaterde» die Landlosen? Doch wer in unseren Fabriken gearbeitet, auf unseren Straßen demonstriert, in unserer Sprache gekämpft hat, der wäre kein Mensch, wenn er sein Land nicht liebte.*[53] Wenn sie aber diese Begriffe sinnlich erfahrbar gestalten wollte, griff sie vor allem zur Landschaft ihrer Kindheit. Auch aus Ost-Berlin, das sie nach dem Ende des Zweiten Weltkriegs bewußt zum Wohnsitz wählte, sah Seghers mit Wärme zurück auf die alte Heimat und erinnerte – nicht von ungefähr – an die Offenheit des Lebens dort. *Ich komme meiner Heimat und meiner Erziehung nach aus dem Westen… jenem Teil Deutschlands… den man geographisch und kulturell das linke Rheinufer nennt… dieser lebhaften und aufgeschlossenen Umgebung, die seit Jahrhunderten bereitwillig alle möglichen Kulturströmungen in sich aufgesaugt und verarbeitet hat.*[54] Bis zu einem gewissen Grad identifizierte sich Anna Seghers stets mit dieser Tradition ihrer engeren Heimat. Kein anderer Kulturraum, keine andere Landschaft Deutschlands hat je die Leuchtkraft ihres *Originaleindrucks* angenommen. In denjenigen Nachkriegswerken, die in der DDR spielen, ist Heimat weiterhin ein wichtiges Thema, doch nur mehr als sozialer Ort, nie mehr als eine konkrete, in ihrer Eigentümlichkeit erfaßte Landschaft.

Studienjahre: Heidelberg

Und dann auf der Universität, als ich von vielen jungen Studenten, die aus ihren Vaterländern in die Emigration gegangen waren, das, was ich empfand, auch erklärt bekam, da wurde mir erst bewußt, was ich vorher nur gefühlt hatte.[55] *Sie öffneten mir die Augen für viele politische Vorgänge, für den Klassenkampf.*[56] Anna Seghers spricht von der entscheidenden Erfahrung ihrer Studienjahre, der Begegnung mit Flüchtlingen aus den von Revolution und Konterrevolution erschütterten Ländern des zerfallenen Habsburgerreiches und dem politischen Bewußtsein, das sie ihr vermittelten. *Wir horchten erregt ihren Berichten, die damals vielen in Deutschland wie Greuelmärchen erschienen oder wie Vorkommnisse, die unvorstellbar in Mitteleuropa waren. Der weiße Terror hatte die erste Welle der Emigration durch unseren Erdteil gespült. Und seine Zeugen, erschöpft von dem Erlebten, doch ungebrochen und kühn, uns überlegen an Erfahrungen, auch an Opferbereitschaft im großen und Hilfsbereitschaft im kleinen, waren für uns wirkliche, nicht beschriebene Helden.*[57]

Unter den *Helden* befand sich auch der Ungar und Jude László Radványi (1900–78), ihr zukünftiger Mann, der nach der Niederschlagung der Räterepublik in seiner Heimat nach Deutschland geflohen war. Er studierte seit dem Wintersemester 1919/20 in Heidelberg Philosophie, Psychologie, Soziologie und Volkswirtschaft und promovierte 1923 mit einer Dissertation über «Der Chiliasmus. Ein Versuch zur Erkenntnis der chiliastischen Idee und des chiliastischen Handelns». Unter dem Namen Johann Schmidt (ab 1952: Johann-Lorenz Schmidt) widmete er sein ganzes weiteres Leben als Lehrer und Gelehrter der Verbreitung marxistischer Ideen. Die Bewunderung für die vertriebenen Revolutionäre im allgemeinen galt ihm im besonderen. Er war es wohl auch, der viele der eingangs erwähnten Erklärungen abgab und die junge Mainzerin mit marxistischen Ideen vertraut machte.

Tatsache ist, daß für Netty Reiling Liebe und Partnerwahl zusammenfielen mit politischer Bewußtseinsbildung und im weitesten Sinne politischer Entscheidung. *Die erste große Liebe zu einem jungen Menschen wird auch zu der ersten großen Liebe zum Kampf*[58], sagt Seghers viel später über eine andere, Melpo Axiotis, beschreibt aber die eigene Erfahrung.

In ihren Romanen und Erzählungen ist eine gute, das heißt feste und dauernde Beziehung zwischen Mann und Frau nur dann möglich, wenn beide Teile über die persönliche Anziehung hinaus in ihrer gesellschaftlichen Haltung und politischen Überzeugung zusammenkommen, wobei der Mann oft den führenden, bewußteren Partner stellt. Solche Darstellungen reflektierten auch ihr Verhältnis zu dem attraktiven, charmanten, ursprünglich an Erfahrungen und stets an theoretischem Wissen überlegenen *Rodi*, wie sie ihren Mann liebevoll nannte. Sie hatte Hochachtung für seine Tätigkeit und akzeptierte, daß er oft ganz darin aufging. Was ihre eigene Arbeit betraf, so legte sie immer großen Wert auf das Urteil dieses, ihres ersten Lesers und Kritikers, der ihr Schreiben sehr ernst nahm.[59] Anläßlich einer zeitweiligen Trennung nach Kriegsende bekannte sie einem gemeinsamen Freund: *Ich fühle jetzt sehr, wie verwöhnt ich war durch seinen Rat und Beistand bei meiner Arbeit, wie wir an jedem Ausdruck und jedem Satz herumbosselten.*[60]

Netty Reilings Studienjahre, 1920 bis 1924, fielen zusammen mit den politischen und wirtschaftlichen Erschütterungen der frühen Phase der Weimarer Republik. Deutschland wurde *selbst noch von Aufständen zerwühlt*[61] – vom Kapp-Putsch im Frühjahr 1920 zum Putschversuch der Nationalsozialisten im November 1923, von den kommunistischen Unruhen im März 1920 im Ruhrgebiet zur Bildung (und späteren Absetzung) sozialistisch-kommunistischer Regierungen in Sachsen und Thüringen. In Netty Reilings engerer Heimat kulminierten die separatistischen, von der Besatzung zum Teil unterstützten Bewegungen 1923 in der Proklamation einer Rheinrepublik. Vor allem aber erreichte die Inflation ihren Höhepunkt in Deutschland. *Das Essen in der Mensa*, erinnert sich Anna Seghers, *war mager und schlecht für jeden Studenten. Das Geld, das die Familien schickten, war, bis es ankam, Papiermillionen und nichts mehr wert.*[62] Einen Studienfreund, Philipp Schaeffer, einen Baltendeutschen, den sie sowohl wegen seines *Gerechtigkeitsempfindens* als auch wegen seines abenteuerlichen Lebens bewunderte, brachte sie nach Hause, *um ihn herauszufuttern.* Den Eltern erzählte er *abends in ihrer Wohnung… hundert Geschichten von seinen Reisen und seinen Berufen. Auch Schiffsjunge war er gewesen. Einmal kam das Hausmädchen schreiend gerannt: «Er ist über und über tätowiert!»*[63] Bei den Reilings gab es zwar noch bürgerliche Geborgenheit, die Tochter aber wählte Freunde wie Philipp Schaeffer und ihren zukünftigen Mann, die davon wegführten und ihr andere Welten und Ideen eröffneten. *Trotz der bedrohlichen Zeit, trotz aller Bedrängungen* erfuhr Netty Reiling diese Jahre deshalb auch als stimulierend und schön: *Sorglos, offenherzig waren wir damals. Wir waren bereit, uns zu freuen! Wir fanden immer etwas zum Freuen.*[64]

Heidelberg war zu jener Zeit in den Worten ihres rheinländischen Kommilitonen Carl Zuckmayer die «fortschrittlichste und geistig anspruchsvollste Universität Deutschlands»[65]. Außerhalb und innerhalb der Hör-

Heidelberg

Die Universität

säle nahm man Anteil an den widersprüchlichen Ideen dieser Epoche. Neben den von Marx und der russischen Revolution bewegten Studenten, die Netty Reiling anzogen, gab es unter anderem eine große völkische Gruppe und den um den Germanisten Friedrich Gundolf gescharten George-Kreis. Der Protest der bürgerlichen Jugend, der sich vor dem Krieg unter ethisch-ästhetischen Aspekten abgespielt hatte – der George-Kreis schloß noch daran an –, wurde nun politisiert, sowohl auf der rechten wie auf der linken Seite. Mit der Forderung nach Revolution, mit Gemeinschafts- und Tatgesinnung appellierten beide Seiten mit gelegentlich ähnlichen Schlagworten an die in manchem gleichen Bedürfnisse.

Eines dieser in sehr verschiedenen Kreisen ertönenden Schlagworte war Dostojevskij, den Hugo von Hofmannsthal 1921 «einen geistigen Beherrscher» der «Epoche» nannte.[66] Auch Netty Reiling las Dostojevskij *mit wachsender Leidenschaft* [67]. *Eine Wirklichkeit ist uns aus den Büchern gekommen, die wir im Leben noch nicht gekannt haben. Für uns war es eine erregende, eine revolutionäre Wirklichkeit. Ich spreche jetzt nicht von der politischen Revolution … sondern ich spreche von einem revolutionären Herauswühlen, In-Bewegung-Gehen des menschlichen Schicksals, etwas durch und durch Unkleinbürgerliches.*[68] Dostojevskij wandte sich direkt an ihre und ihrer Zeitgenossen Sehnsucht nach Aufbruch und Erneuerung. Der Erste Weltkrieg und seine Folgen hatten diese Sehnsucht nur intensiviert und das Wort Revolution in die verschiedensten Lager getragen.

Dostojevskij – und Tolstoj, den sie damals ebenfalls genauer kennenlernte – vermittelten Netty Reiling aber auch ein überlebensgroßes Bild vom russischen Menschen, das mit zur Grundlage für ihre lebenslange Bewunderung der Sowjetunion wurde. Zeitgenössische Bücher und Filme, die damals große Resonanz hatten, kamen hinzu, um ihr von vielen Intellektuellen und Arbeitern in aller Welt geteiltes Interesse am Land der Oktober-Revolution, an seiner Kunst und seinen Menschen zu fördern: *Wie zum Beispiel «Zement», wie die «Genossenschaft der Habenichtse», wie «Februar» … Ich glaube, im Grunde hat meine ganze Generation diese Bücher ungefähr gleichzeitig gelesen, wie sie auch dieselben Filme gesehen hat, zum Beispiel «Panzerkreuzer Potemkin», aber auch «Sturm über Asien», «Der Weg ins Leben». Diese Bücher und Filme machten auf mich einen ungeheuren Eindruck. So etwas hatte ich noch nie gesehen und gehört.* Sie waren ihr ein Ansporn. *Das Leben war dichter als meins, die Menschen waren mehr Menschen, ihre Freiheit war mehr Freiheit, der Schnee war auch mehr Schnee, das Korn mehr Korn. Weil aber alles unmittelbar aus dem Leben kam, gewann ich sozusagen den Mut zu schreiben. Ich verstand, daß es nichts gibt, was man nicht schreiben kann.*[69]

Dostojevskij und Tolstoj spielten weiterhin eine wichtige Rolle in Anna Seghers' künstlerischer Selbstverständigung. «Immer in Zeiten, da historisch-moralische und ästhetische Fragestellungen sie bedrängen»,

Zahlungsbeleg über Studiengebühren von Netty Reiling

kehrt die Autorin – wie Christa Wolf richtig feststellte[70] – zu den großen Russen zurück und befragt sie nach Möglichkeiten für die eigene, auf die deutsche Wirklichkeit gerichtete Arbeit. Wovon Seghers jedoch später nicht mehr sprach, das war der Eindruck, den die Filme auf sie machten, obwohl vor allem die berühmte Montagetechnik Eisensteins Einfluß auf ihre frühe Arbeit hatte.

Wir alle waren aufgewühlt von den Ereignissen unserer Zeit... Und während wir daran teilnahmen, leidenschaftlich diskutierend, folgten wir unserem Studium.[71] Auch auf akademischem Gebiet hatte die Universität Heidelberg der jungen Mainzerin viel zu bieten. Hier lehrten unter anderem die Soziologen Max Weber, Alfred Weber und Emil Lederer, die Philosophen Heinrich Rickert und Karl Jaspers, der Archäologe Ludwig Curtius, die Germanisten Friedrich Panzer und Friedrich Gundolf, der Historiker Hermann Oncken, der Ägyptologe Hermann Ranke und die Kunsthistoriker Carl Neumann und Wilhelm Fränger. Netty Reiling beschränkte sich keineswegs auf ein enges Fachstudium, sondern folgte einer Reihe von Interessen, die sie zum Großteil weiter beibehielt, auf der sie in ihrer Publizistik und in ihren Romanen und Erzählungen aufbaute.

So zeigte sich ihr stets über die Grenzen Europas hinausgehender Internationalismus schon in der Wahl eines zweiten Hauptfaches, der Sinologie. Ursprünglich dachte sie, sie *könnte schnell lernen, Texte auf alten chinesischen Bildwerken zu entziffern*[72]. Dann belegte sie aber auch Vorlesungen zur Geschichte und Kultur Chinas und Japans. Ihr drittes Semester verbrachte Netty an der Universität Köln, wo sie am Museum für ostasiatische Kunst ein Praktikum machte. Zusammen mit dem bereits erwähnten Studienfreund Philipp Schaeffer suchte sie sich außerdem über die unmittelbare Gegenwart in China und die Revolution, die dort 1911 begonnen hatte, zu informieren.[73] Diese Kenntnisse bedeuteten den Anfang und eine wichtige Quelle für Seghers' weitere Beschäftigung mit China, das sie etwas später in einer Reihe von Texten und Szenen, ähnlich wie Brecht in «Die Maßnahme», zum paradigmatischen Schauplatz für revolutionäre Kämpfe und politische Disziplin machte. Mit ihrer Wahl chinesischer Stoffe standen Seghers und Brecht in den späten zwanziger und frühen dreißiger Jahren unter den linken Intellektuellen Europas und der USA keineswegs allein, auch André Malraux in «Die Eroberer» (1928) und «So lebt der Mensch» (1933), Agnes Smedley in einer Reihe von Büchern und Friedrich Wolf in seinem Drama «Tai Yang erwacht» (1931) befaßten sich mit den Umwälzungen in China.

In Kunstgeschichte belegte Netty Reiling nur zehn Vorlesungen, unter anderem bei ihrem Doktorvater, dem Rembrandt-Forscher Carl Neumann, nicht aber bei Wilhelm Fränger, der über Hercules Segers (oder Seghers) arbeitete, einen niederländischen Maler und Radierer, einen Zeitgenossen Rembrandts, dessen Namen sie als Pseudonym wählte. Zu den Lehrveranstaltungen in den Hauptfächern kamen noch viele andere in Geschichte, Romanistik, Germanistik, Slawistik, Philosophie und Ethik (bei Karl Jaspers). Auch «Sozialtheorie des Marxismus», «Theorie des Sozialismus» und «Sozialpolitik und soziale Bewegung» (bei Emil Lederer) stehen im Studienbuch.

Wenn Seghers später auf ihre einfache, dann auch vereinfachende, stets den intellektuellen Jargon vermeidende Art über Kunst und Literatur

Junger Jude als Christus. Gemälde von Rembrandt, um 1656

sprach, konnte sie also auf ein breites akademisches Wissen zurückgreifen, wenngleich nicht anzunehmen ist, daß sie alle genannten Lehrveranstaltungen regelmäßig besuchte. Obwohl sie ihr Studium, wie sie behauptet, *ganz absorbierte*, sah sich Seghers nie als Wissenschaftlerin. *Noch als Studierende*, meint sie selbstkritisch, *war ich ein sehr kindliches Wesen; ich war viel kindlicher, als ich hätte meinem Alter nach sein dürfen.*[74] Auch als reife Frau hielt sie jedoch an einer gewissen «Kindlichkeit», das heißt Naivität und Direktheit fest, da sie damit eine für sie grundlegende Entscheidung verband: gegen die Wissenschaft und Theorie und für die Praxis von Kunst.

So wenig Seghers abstraktes theoretisches Denken, das sie bei anderen, zum Beispiel bei ihrem Mann, durchaus respektierte, für sich in Anspruch nehmen wollte, so wichtig war und blieb es ihr, sich mit Fragen der künstlerischen Gestaltung von Wirklichkeit auseinanderzusetzen. Den Anfang machte sie bereits in ihrer Dissertation, einer kurzen kunsthistorischen Arbeit, *Jude und Judentum im Werke Rembrandts*. Die Wahl dieses Themas mochte eine Rückbesinnung auf die eigene Abstammung und die Interessen des Vaters darstellen, die Ideen aber wiesen voraus auf zukünftige Überlegungen zu Kunst, Literatur – und Judentum.

Der Ansatz ist ein sozialgeschichtlicher. Die Autorin will zeigen, daß Rembrandt in seiner Darstellung von Juden *ein bis dahin verdeckt gebliebenes Stück Wirklichkeit ans Licht* gebracht hat, das *nichts mit der glänzenden sephardischen Gemeinde, mit dem offiziellen Judentum seiner Zeit zu tun* hatte[75], sondern mit den jüdischen *Proletariern*, den nach 1640 aus Polen und Deutschland vertriebenen *Ostjuden*, die *scharenweise zu Schiff über die Ostsee* nach Amsterdam kamen. Indem Rembrandt sie zu Modellen nahm, entfernte er sich von der *Vorstellung eines romantischen Judentums* und zeigte den *wirklichen jüdisch-individuellen Menschen aus einer wirklichen Kenntnis seines Wesens und Aussehens*[76]. Anna Seghers hat später immer wieder betont, daß es Aufgabe der Kunst sei, *ein bis dahin verdeckt gebliebenes Stück Wirklichkeit ans Licht* zu bringen, und ihre eigenen Stoffe – wie Rembrandt in ihrer Analyse seiner Entwicklung – aus *einer für die Blicke der Zeitgenossen eindruckslosen und verschlossenen Umwelt der Armen und Schwachen* genommen.[77] Es ist auch bezeichnend für ihre weitere Haltung gegenüber den Juden, daß sie den *glänzenden* Sephardim jüdische Repräsentanz abspricht und die Vertreter des wahren Judentums unter den *Armen und Schwachen* allgemein findet.

Netty Reiling bestand ihr Rigorosum am 4. März und promovierte am 4. November 1924, verwendete aber ihren Doktortitel sehr selten. Sie versuchte auch nicht, in ihrer Disziplin weiterzuarbeiten – *weil ich sonst nicht hätte schreiben können*[78]. Das wurde ihr während der Studienzeit klar. Denn damals *brach's wie ein Sturzbach aus mir heraus: ich schrieb, studierte, schrieb, studierte – wie 'ne Verrückte, das ging bis zur Erschöpfung. Da merkte ich, daß beides nicht lange durchzuhalten war.*[79] Es ist aber charakteristisch für Reiling/Seghers und ihren weiteren Lebensweg, daß sie das einmal begonnene Studium diszipliniert abschloß.

Ihre Ausbildung als Kunsthistorikerin blieb jedoch wichtig für die Autorin. In Aufsätzen – und in dem Briefwechsel mit Georg Lukács[80] – griff Seghers häufig zu Beispielen aus der Kunstgeschichte, um ihre Ideen über zeitbedingte Veränderungen des Schreibens im Rahmen breiterer Entwicklungen in der Kunst zu sehen und anschaulich auszudrücken. Während des Exils in Mexiko verschafften ihr Wandmalereien, die sie in ihrem Essay *Die gemalte Zeit. Mexikanische Fresken* interpretierte, Zugang zur

Die Toten auf der Insel Djal

Eine Sage aus dem Holländischen
Nacherzählt von Aatje Seghers

Die Toten auf dem Friedhof von Djal sind ein sonderbares Volk. Manchmal zuckt es in ihren Geheimen so heftig, daß die höllernen Kreuze und Grabsteine zu hüpfen anfangen. Besonders im Frühjahr und Herbst, wenn das Pfeifen und Heulen in der Luft losgeht, können sie gar nicht mehr an sich halten. Das kommt daher, daß es lauter Seeleute waren, die an allen Wassern herumfahren, bis sie an den Klippen von Djal scheiterten. Und nun still liegen und zuhören, wie hinter dem Kirchholzmantel das Meer dröhnt und zischt, das ist selbst für einen Toten zu viel.

Manchmal, wenn sie sich gar nicht beruhigen wollten, ging der Pfarrer von Djal an die Spitze seiner Gemeinde um den Friedhof singend herum und ließ so in Regen und Wind einen Kreis von Psalmen — denn Weihwasser und heilige Mittel verachtete sein reformiertes Herz — beruhigend rund um die unruhige Stätte legen. Zuweilen schritt er auch selbst zwischen den Gräbern hindurch und wenn es dann recht und links vom ihm zuckte, stampfte er auf den Boden und brüllte: "Ruhe da drunten." Und die Leiber kuschten sich vor seiner Stimme.

Ein sonderbarer Kerl, dieser Pfarrer. Er hätte der Leibhaftige sein können, wenn er nicht gerade der Pfarrer von Djal gewesen wäre. Seine Seele mußte ganz verrußt und durchlöchert getan sein von all den Beichten, die er schon angehört hatte. Den furchtbaren, schäumenden, nach Leben und Tod riechenden Beichten der krepierenden Schiffer von fünf Kontinenten. Das Haus, in dem er wohnte, lag, geklebt an eine Klippe, mehr einer Fischerhütte als einer Pfarre. Jetzt war er bald fünfzig Jahre alt, seine Augen glühten, seine Lippen waren aufgeworfen, sein Schädel wuchs noch von Jahr zu Jahr, und sein Talar roch nach Salzwasser. So einer brauchte keine Kinder und Geschwister, kein Weib und keine Liebschaft. Für so einen gab es auf Djal wiedrig, großartiges Wollust, brausenderes Leidenschaften. Wenn das Wasser kochte und der Sturm einen Hagelschauer scheiternder Schiffe gegen das Ufer trieb und die Felsen von Djal zerfetzte wie ein Seidengewebe, dann ruderte der Pfarrer sich selbst über die Insel mit Gischtwirbel, um einen Sterbenden drüben auf der anderen Seite sein letztes Wort mitzunehmen.

Aber seine besondere Leidenschaft galt den Toten. War draußen an der Landbank oder zwischen den westlichen Riffen ein Schiff aufgelaufen und mit Mann und Maus, wie man sagt, untergegangen, so ruderte der Pfarrer — noch hatte sich der Wind nicht gelegt, noch hatten die Wellen die bläßtige Zickzackbrandung der Springflut — mit seinen Leuten an das Wrack heran, um so viel Leichen wie möglich zu bergen.

In einer irrsinnigen Nacht war das holländische Schoner "Daniel Averkamp" im Angesicht der Insel gescheitert. Als die Fischer am nächsten Tage mit ihrem Pfarrer ihre Schuldigkeit getan hatten und schon auf dem Heimweg waren, entdeckten sie in einer Felsgrube, wo das Wasser ein bißchen seichter und stiller stand, an seiner langen silbernen Halskette hängen geblieben, einen mageren Toten, und der Pfarrer verstehte noch daran, eben dieses noch mitzunehmen.

Aber der dürre lange Tote war Morten Sise, der Kapitän selber, und da er zur Zeit seines Lebens ein sonderbarer Kauz gewesen war, wollte er auch jetzt im Meere bleiben, so wie ihm immer am besten gefallen hatte, und wie sehr man auch mit Stangen und Widerhaken an ihm zerrte, er gab nicht nach. Da das Bootchen, mit jeder Welle hochgehoben, gegen die Steine krachte, fingen die Schiffer an zu brummen an. Der Pfarrer aber war der Ansicht, daß ein Christ, auch wenn er tot ist, nicht mit Fisch und allerhand Aas zwischen Algen und Korallen herumlungern darf, sondern unter die Erde gehört und ein Kreuz obendrauf, er machte noch im letzten Augenblick eine Erfindung, eine Art Drahtschlinge, mit deren Hilfe der Kapitän schließlich ins Boot gezogen wurde. Und kurz darauf hat er schon einen Stein mit Inschrift wie auf dem Kirchhof von Dordrecht.

Es zeigte sich aber bald, daß der neue Bewohner von Djal eine ungebärdige Seele war. Eines Abends kam der Totengräber, der seine Hütte in einer Friedhofsecke hatte, in Schweiß gebadet in die Pfarre gelaufen und erzählte, daß der Kapitän seinen Grabstein umgeworfen und schon eine Hand herausgestreckt hatte. Der Pfarrer stand wortlos auf, begab sich auf den nächtlichen Friedhof, rückte den betreffenden Stein an die richtige Stelle und setzte sich mit seinem ganzen Gewicht oben drauf wie auf den Deckel einer Truhe oder eines Koffers und wartete so den Morgen ab. Von nun an gab der Kapitän Ruhe.

Im Sommer — die Wellen thrallten nur so ein wenig die blanken Felsen hinauf und die Sonne blieg gelbe Ringelchen hinein — saß der Pfarrer, eine aufgeschlagene Bibel vor sich, in seiner Kammer. "Und es ging ein Brief an die Gemeinde von Laodicea ..." sagte er zum dritten Mal laut vor sich hin und klopfte an den Tisch; denn aus irgend einem Grund schien ihm diese Stelle besonders wohlzuklingend und eine Zierde der Neuen Testamentes zu sein, wenngleich das Alte den Dursalten seines Herzens besser anstand.

Da wurde er von einem Geräusch unterbrochen, vielleicht hatte er zu fest auf den Tisch geschlagen und die Bretter an den Wänden bebten mit.

"Wer ist da?" rief er, zunächst ohne sich umzudrehen; aber ein Luftzug im Rücken ließ ihn dann doch den Kopf wenden.

Wirklich, die Tür war geöffnet worden. Ohne daß er Schritte und Klopfen gehört hatte, war ein Fremder eingetreten, ein großer dünner Mensch in blauer Jacke mit blanken Knöpfen und einer Kette um den Hals. Abgesehen von den Knöpfen und der Kette hatte das Ganze ein schäbiges, ein heruntergekommenes, verstecktes Aussehen.

"Setzt Euch," sagte der Pfarrer, "was wollt Ihr?"

Der Fremde nahm zögernd mit mürrischer Miene Platz. "Ich bin vorhin hier gelandet," fing er an.

"Wirklich?" sagte der Pfarrer, "ich habe gar kein Schiff kommen sehen." "Ich habe gehört," fuhr der andere fort, "daß mein Vetter Morten Sise zu vorigen Jahre hier gescheitert und vor Euch auf christliche Weise bestattet worden ist. Ich wollte Euch bitten, mich an sein Grab zu führen."

"Also nur um eines Grabes willen seid Ihr gelandet!" rief der Pfarrer, "das gefällt mir!" Und er stand, denn sein Gast schien irgend eine Krankheit zu haben, weil seine dürren Gelenke heftig bebten.

Der Pfarrer stand auf, und wie er mit der Branntweinflasche wiederkam, blätterte der Fremde in der Bibel, indem er auf eine besondere unglückige Art mit den Spitzen von Daumen und Zeigefinger die Blätter herumdrehte.

"Ich kann nicht begreifen," sagte er höhnisch, "wie ein vernünftiger Mensch an solchem Gefasel finden kann. Wenn man sich hierauf verlassen möchte, könnte man glauben, daß die Menschen auf der Welt sind, um einen und außen die wunderbarsten Sachen zu erleben, die aber alle erst ein Vorspiel zu dem Großartigen sind, was am Schluß kommt. Und in der Wirklichkeit? Sie fahren ein bißchen auf dem Wasser herum, krepieren irgendwo und liegen den Rest der Ewigkeit mit hohlem Magen in der schmutzigen Erde."

Der Pfarrer wurde nicht mild, sondern bekam ein Lächeln in die Augenwinkel. "Ich finde, daß es ein prächtiges Buch ist. Ich weiß es von A bis Z auswendig und hätte ich nochmal zu leben, würde ich's nochmals auswendig lernen. Es ist darin von allen die Rede, von Dummen und Klugen, Starken und Schwachen, Harten und Weichen, Seeleuten und geistlichen Herren. Und was die wunderbaren Sachen anbelangt, so erlebt jeder genau so viel als er vertragen kann."

Der Fremde wußte nichts Besonderes zu sagen und wurde giftig.

"Für was braucht ein Pfarrer Branntwein?" fragte er.

"Für mich nicht," lachte der, "aber für meine Beichtkinder." Das löst ihnen besser die Zunge." Und der andere trank fast in einem Zuge leer, sein Fröstein ließ nach, er räkelte sich herum und sprang plötzlich auf. "Jetzt wollen wir auf den Friedhof!"

Es war schon dunkel geworden und der Pfarrer fragte: "Hat es nicht bis morgen früh Zeit?" Aber der Fremde verstellte sich darauf, gleich zu gehen. So kamen sie über die Dünen, der gedrungene Pfarrer und der lange, nach vorn gebeugte Fremde, in der stillen Nacht, in dem dünn-schläbrigen, Rauschen der Brandung. Es war ein gehöriges Stück Weg, und beide schwiegen.

Auf einmal sagte der Pfarrer: "Mein Lieber, ich fühle es ganz genau, Ihr seit Euch nur so, als ob Ihr lebendig wärt, in Wirklichkeit seid Ihr ein Toter."

"Was für ein Unsinn!" brummte der andere, und sie gingen schweigend weiter. Als sie durch die Kirchhofstür geschritten waren — tief war die Stille und Grillen knackten im grünen Gras —, läutete man vom Lotsenturm die zwölfte Stunde an.

Die erste Publikation

kulturellen Eigenart dieses zunächst so fremd erscheinenden Landes. Vor allem aber spricht aus den Erzählungen und Romanen ein für visuelle Eindrücke geschulter und überaus empfänglicher Blick, der allerdings im Detail noch untersucht werden müßte.

Im selben Jahr, in dem Netty Reiling ihr Studium abschloß, gab sie in der Weihnachtsbeilage der «Frankfurter Zeitung» ihr Debüt als Erzählerin mit *Die Toten auf der Insel Djal*, einer Art Gespenstergeschichte. Der Untertitel, *Eine Sage aus dem Holländischen – Nacherzählt von Antje Seghers*, verwendete zum erstenmal das Pseudonym, das die Autorin mit leichter Veränderung des Vornamens ein ganzes Leben beibehielt. Als man sie später nach dem Ursprung ihres Pseudonyms fragte, verwies Seghers auf diese frühe, erst vor kurzem von Seghers-Forschern wiederentdeckte Arbeit[81] und meinte sich zu erinnern, daß ihre Erzählerin die Enkelin des Helden gewesen sei, daher habe sie ihr denselben Namen wie ihm, eben Seghers, gegeben.[82] Wie häufig bei der Autorin ist jedoch die Selbstaussage eine Geschichte für sich und mystifiziert mehr als sie erklärt. Im Text finden sich keinerlei Hinweise, daß die Erzählerin eine besondere Beziehung zum Helden der *Sage* hat, die Verwandtschaft und die Gründe für die Wahl eines Pseudonyms gehen tiefer. Netty Reiling selbst fühlte sich ihrem rebellischen Helden, der Tod und Grab nicht akzeptieren kann, verwandt. Ein neuer Name, der außer den von der Erzählung geschaffenen Assoziationen auch die Erinnerung an den eigenwilligen Künstler Hercules Segers und an das seit der Kindheit geliebte Holland enthielt, erlaubte ihr, sich über die eigene Welt hinaus zu projizieren und ihre Identität als Schriftstellerin unabhängig von ihrer zivilen Existenz unter den Namen Reiling/Radványi festzulegen. Als Anna Seghers schuf und definierte sie sich selbst, indem sie schrieb und durch das, was sie schrieb.

Das Pseudonym sollte im Dritten Reich auch von praktischem Nutzen sein. Während die Gestapo Seghers nach der deutschen Besetzung von Paris unter ihrem Künstlernamen suchte, konnte sie als Frau Radványi flüchten, allerdings nicht ohne wiederum eine Bestätigung erbracht zu haben, daß sie die Schriftstellerin Anna Seghers sei und daher besondere Unterstützung für Ausreise und Visum verdiene.

Kleistpreisträgerin und Kommunistin: Berlin

Netty Reiling und László Radványi heirateten am 10. August 1925 in Mainz. Für sie bedeutete die Bindung an den Ausländer, der als Mitglied der Kommunistischen Partei und als ehrenamtlicher Funktionär in der Abteilung Agitprop alles andere als eine bürgerlich gesicherte Zukunft versprach, den endgültigen Aufbruch in eine neue, dem Elternhaus ferne Welt. Seghers folgte ihrem Mann nach Berlin, in das kulturelle und politische Zentrum der Weimarer Republik, wo man ihm die Leitung der neu eingerichteten Marxistischen Arbeiterschule (MASCH) übertrug.[83]

Die MASCH sollte politische, ökonomische und kulturelle Bildung vermitteln und wurde nicht von der KPD, sondern durch niedrig gehaltene Gebühren und durch Spenden finanziert. Die Lehrer und Vortragenden, unter denen sich heute berühmte Namen wie Albert Einstein, Hanns Eisler, Walter Gropius, John Heartfield und Erwin Piscator befanden, arbeiteten unentgeltlich. Die Schule wuchs in der Zeit ihres Bestehens bis 1933 beträchtlich, wurde aber in den letzten Jahren von Geldnöten geplagt und durch SA-Überfälle terrorisiert.

Der Arbeitseinsatz László Radványis war unter diesen Umständen groß und ließ ihm für seine junge Frau und die zwei Kinder, die bald geboren wurden – Peter am 29. April 1926 und Ruth am 28. Mai 1928 – wenig Zeit. Er war außerdem ein Mann, der in seinem Beruf große Schwungkraft bewies und im Exil in Paris und in Mexiko erneut der MASCH ähnliche Schulen aufbaute, aber im praktischen Alltagsleben wenig Geschick besaß. Hier mußte seine Frau einspringen. Ihr oblag es auch, für die Kinder zu sorgen, was sie allerdings völlig selbstverständlich fand.[84]

Seghers' Leben in Berlin wurde zunächst durch die Mutterpflichten und das *Schreiben von Geschichten*[85] ganz in Anspruch genommen. Sie besaß zwar durch ihren Mann von Anfang an Kontakt zu kommunistischen Ideen und Kreisen, wurde politisch aber erst aktiv, nachdem sie sich als Schriftstellerin ausgewiesen hatte. Das gelang ihr rasch und überzeugend mit drei Erzählungen: *Grubetsch* (1927 in der «Frankfurter Zeitung» in Fortsetzungen abgedruckt), *Die Ziegler* (1926/27 entstanden, aber erst 1930 veröffentlicht) und *Aufstand der Fischer von St. Barbara* (1928 als erstes Buch erschienen). Für *Grubetsch* und *Aufstand* erhielt

Seghers noch 1928 den angesehenen Kleistpreis, der in vorhergehenden Jahren an Schriftsteller wie Bertolt Brecht, Alfred Döblin, Carl Zuckmayer und Arnold Zweig gegangen war.

Es gab dabei zwei Linien: Erzählen was mich heute erregt, und die Farbigkeit von Märchen. Das hätte ich am liebsten vereint und wußte nicht wie.[86] Diese Aussage, die nur indirekt überliefert ist, wird in der Forschung immer wieder zitiert, weil sie die frühen Erzählungen und das weitere Werk in ihrer Suche nach einer Verbindung von sozialem und dann politischem Engagement mit märchenhaften und mythischen Elementen sehr gut charakterisiert. Während die Debatten der Zeit im Zuge der «Neuen Sachlichkeit» vielfach zwischen dem, was Alfred Döblin die «Märchenseite» und dem, was er die «Berichtseite» genannt hatte, schieden und Reportage und Dokumentation als die fortschrittlichen Formen betrachteten, lehnte Seghers eine solche Gegenüberstellung stets ab und verwendete in ihren Erzählungen und Zeitgeschichtsromanen Märchenmotive, legendäre Züge und religiöse Elemente neben recherchierten Fakten und Berichten, um ihr Material eindringlich, und das hieß für sie stets vielfältig, zu gestalten.

Das Neue lag für sie zunächst im Inhalt. *Am Beginn einer neuen Kunstepoche steht die Entdeckung des neuen Stoffes*, erklärte Seghers unter Berufung auf ihren Heidelberger Lehrer Curtius wiederholt. Dieser *Stoff* waren ihr die Proletarier im weitesten Sinne des Wortes, die aus den untersten, ärmsten Schichten Stammenden. Sie stellten die zeitgemäßen Repräsentanten des Menschen überhaupt, diejenigen, auf die es ankam. Nur der selbstbewußte Kampf dieser «Proletarier» gegen die bestehenden Macht- und Gesellschaftsstrukturen konnte – wie die frühen Erzählungen von *Grubetsch* bis zum *Aufstand* deutlich entwickeln – die Leere überwinden, in der Seghers, mehr noch als in den wirtschaftlichen Krisen, das Hauptproblem ihrer Zeit sah. Etwas vom Erlösungswunsch des Expressionismus – und der christlichen wie jüdischen Religion – lebte weiter in ihrer Erwartung, daß das Aufgehen im proletarischen Aufbruch individuelle Befreiung bringen würde. Seghers teilte diese Thematik mit vielen anderen kommunistischen und linken Schriftstellerkollegen wie zum Beispiel Kurt Kläber, dem Mitbegründer des Bundes Proletarisch-Revolutionärer Schriftsteller, und Johannes R. Becher, dem ehemaligen Expressionisten und späteren Kulturminister der DDR. Doch hat in ihren frühen Erzählungen das Moment der Gefangenschaft in tödlicher Leere und die Notwendigkeit des Ausbruchs – in den späteren das Bedürfnis nach Hingabe an etwas Größeres – eine besondere Dringlichkeit. Die Gründe dafür mögen in Seghers' persönlichen und spezifisch weiblichen Erfahrungen gelegen haben: Als Frau und Jüdin fühlte sie sich im deutschen Bürgertum sowohl fremd als auch eingesperrt und suchte ihm zu entkommen, indem sie in einem radikal neuen Lebenssinn aufging – aber in einem, der die strenge Verbindlichkeit der väterlichen Religion beibehielt.

Berlin, Ende der zwanziger Jahre

«Grubetsch»: Ein böser Hof, und in dem Hof ein Mann, der es versteht, die geheimen Wünsche der Menschen nach Zugrundegehen zu erraten und jedem in seiner Weise zu erfüllen[87], so stellte Seghers selbst die erste Erzählung vor, in der es ihr gelang, märchenhafte Züge mit dem, *was mich heute erregt*, zu verbinden. Sie ging darin aus von einem tiefen Gefühl des Ungenügens am Leben, wie es die Zeit bot, und erfaßte die psychischen Dispositionen, die Leere und Sinnlosigkeit im Menschen erzeugen. In diesem Krisenbewußtsein lag der Ansatz für ihre weitere Entwicklung als Erzählerin bis hinein in die Auseinandersetzung mit dem Nationalsozialismus.

Die Nähe der Erzählung zu Franz Kafka wurde oft bemerkt. Sie besteht in der Hoffnungs- und Aussichtslosigkeit, die hier wie dort traumähnlich bedrückende Gestalt annimmt. *Schlimme Märchen für Erwachsene*[88] war die Formel, die Seghers gebrauchte, um den Eindruck zu vermitteln, den die Werke Kafkas – sie las sie schon damals in Berlin – auf sie machten. In seinen – wie in Georg Büchners – Texten fand sie *eine düstere Zeit in bewundernswertem, schnörkellosem Deutsch*[89] gestaltet, ein Deutsch, das sie selbst anstrebte. Darüber hinaus aber liegt die Affinität von Seghers zu Kafka in der verzweifelten Sehnsucht ihrer Charaktere

29

nach etwas *Hellem*, nach Erfüllung und Sinn, die das gegebene Leben nicht zu bieten vermag. In *Grubetsch* stellen die quälerischen und selbstquälerischen Zwänge, denen die Menschen verfallen, letzte Ausbruchsversuche aus einer unerträglichen Welt dar, in der jede Abweichung, jeder Ausweg, *mochte es sein, was es wollte, selbst ein Unglück*[90], willkommen ist.

Mochte doch hinter der Scheibe etwas ganz anderes sein, etwas ganz Unerwartetes[91], heißt es auch in *Die Ziegler*, einer Erzählung vom unverschuldeten Niedergang kleiner Gewerbetreibender (Konkurrenzkampf und Monopolisierung werden angedeutet), in der Seghers die soziale Bedingtheit ihrer Charaktere genauer herausarbeitet. Der Hauptfigur Marie begegnet aber nur das von ihr selbst Erwartete, Zusammenbruch und Tod. Mit ihrer ängstlichen Schwäche und Kränklichkeit, mit ihrer hoffnungslosen Sehnsucht repräsentiert Marie einen Mädchentyp, den Seghers im Frühwerk vielfach abwandelt und mit Katharina in dem Roman *Die Rettung* zu einer unvergeßlichen Figur macht. Als Gegenbilder gibt es in *Grubetsch* und in *Die Ziegler* schöne, kräftige Mädchen, die die Autorin aber wesentlich weniger interessieren, da ihnen die Natur, wie sie sagt, etwas zum *Vorzeigen*[92] geschenkt hat. Seghers' ganze Neigung gehörte denjenigen, denen die Natur oder die Gesellschaft keine Vorteile gaben. *Menschen, die es immer leicht haben und besonders strahlend sind, mißtraut man etwas, ehe man sie nicht auf die Probe gestellt sieht*[93], sagte sie noch anläßlich ihres Romans *Die Entscheidung*, und man muß im gesamten Werk lange suchen, um die Schönen oder durch Intelligenz *Strahlenden* zu finden, die *die Probe* bestehen. Die Mädchenfiguren des Frühwerks sind jedoch bei aller Sympathie, die ihnen die Autorin entgegenbringt, stets Opfer – jede Hoffnung auf Aufruhr und Veränderung knüpft sich an die Männer.

In *Die Ziegler* ist es der ältere Bruder Maries, der gegen das hilflose Wohlverhalten der Familie rebelliert. Er gerät zunächst auf die schiefe Bahn, findet dann aber *Gefährten… Aufmärsche, Versammlungen, Fahnen, Knüppel*[94] und damit sich selbst. Seghers verbindet in dieser Figur den Typus des Vagabunden, der in der sozialistischen Literatur des frühen 20. Jahrhunderts eine wichtige Rolle gespielt hatte, mit dem Erwerbslosen, der seit 1928 zum vornehmlichen Ziel kommunistischer Agitation wurde, aber – wie Heinz Pächter 1932 in einer Analyse darlegte[95] – leicht zwischen Kommunismus und Faschismus hin und her wechselte. In *Die Ziegler* – und auch in einem kleinen Aufsatz von 1931, *Was wissen wir von Jugendcliquen* – kam es Seghers jedoch zunächst nur auf den Kontrast zwischen aussichtsloser «braver» Resignation und wilder, noch in asozialen Manifestationen positiv gesehener Auflehnung an.

Der Grundtypus dieses ruhelosen, schwierigen und rebellischen jungen Mannes kehrt im Werk von Anna Seghers immer wieder. Mit ihm – und nicht mit den Mädchenfiguren – identifizierte sie sich. Er erfuhr jenes

Herauswühlen, das sie an den Charakteren Dostojevskijs bewundert hatte und als Ansatzpunkt für Neues betrachtete. Die Linie geht von einer Randfigur wie dem Bruder in *Die Ziegler* über den antifaschistischen Helden Georg Heisler in *Das siebte Kreuz* zu dem Nachkriegs-Jugendlichen Thomas Helger in *Die Entscheidung* und *Das Vertrauen*. In diesen späten Romanen reduziert sich das Motiv der Rebellion dann allerdings auf kleine Verfehlungen und ein paar offene Fragen.

Aufruhr als einzige zukunftsweisende Lösung rückt in Anna Seghers' berühmtestem Frühwerk, *Aufstand der Fischer von St. Barbara*, ganz in den Mittelpunkt, wenn auch ein in praktischer Hinsicht erfolgloser. Die Fischer des kleinen, fiktiven Küstenortes St. Barbara verlieren ihren Kampf um *neue Tarife... und drei Fünftel Anteil*[96], gewinnen jedoch dadurch Zusammenhalt, ein erhöhtes Lebensgefühl und Wissen um die Möglichkeit und Notwendigkeit weiterer Aufstände. Anna Seghers nahm hier ein in der sozialistischen Literatur der zwanziger Jahre entwickeltes und verbreitetes Motiv auf: Von der gescheiterten Rebellion, aus der jedoch Hoffnung hervorgeht.[97] Sie machte daraus die große Parabel von der Niederlage, die den Sieg verspricht.

Der zwiespältige Ausgang der Erzählung, der in vielen Werken der Autorin wiederkehrt, wird im ersten Absatz vorweggenommen – in einer für Seghers' beste Werke von nun an charakteristischen Verbindung von kühl sachlichem Bericht und eindringlichem, in diesem Text noch deutlich expressionistischem Bild: *Der Aufstand der Fischer von St. Barbara endete mit der verspäteten Ausfahrt zu den Bedingungen der vergangenen vier Jahre. Man kann sagen, daß der Aufstand eigentlich schon zu Ende war, bevor Hull nach Port Sebastian eingeliefert wurde und Andreas auf der Flucht durch die Klippen umkam. Der Präfekt reiste ab, nachdem er in die Hauptstadt berichtet hatte, daß die Ruhe an der Bucht wieder hergestellt sei. St. Barbara sah jetzt wirklich aus, wie es jeden Sommer aussah. Aber längst, nachdem die Soldaten zurückgezogen und die Fischer auf der See waren, saß der Aufstand noch auf dem leeren weißen, sommerlich kahlen Marktplatz und dachte ruhig an die Seinigen, die er geboren, aufgezogen, gepflegt und behütet hatte für das, was für sie am besten war.*[98]

Die Seinigen, das sind – beispielhaft – der von auswärts gekommene Revolutionär Hull sowie die einheimischen Fischer Andreas, eine Waise, und Kedennek, sein Onkel, ein Mann mit Frau und Kindern. Alle drei gehen an dem Aufstand, der ihr Leben in ihren Augen erst bedeutsam macht, zugrunde, ein Ende, das jeder von ihnen zu suchen scheint, da es ihn zum Märtyrer erhebt und für immer mit dem Geist des Widerstandes, der von nun an unter den Fischern von St. Barbara fortlebt, verbindet. Bei Hull, dem Fremden, sind die Märtyrerzüge – mit der sexuellen Abstinenz, den Zweifeln und der Todesangst des Erwählten – am deutlichsten ausgeprägt. Er ist einer jener zwiespältigen Revolutionäre, wie sie Seghers noch öfter mit besonderer Strenge und Illusionslosigkeit zeichnete.

Erwin Piscator (links) bei den Dreharbeiten für seinen Film «Aufstand der Fischer von St. Barbara», 1931

Szene aus Thomas Langhoffs Verfilmung von «Aufstand der Fischer von St. Barbara», 1991

Es sind charismatische, aber in ihrer Erwecker- und Führerrolle auch für Zweifel sehr anfällige Einzelgänger; sie würden ohne die Gemeinschaft und Aktion mit den Unterdrückten, deren Sache sie aufnehmen, einer ziellosen Existenz verfallen. Solche Figuren reflektierten die eigene Herkunft, vor allem jedoch die heftigen zeitgenössischen Debatten um die Rolle des bürgerlichen Intellektuellen und Außenseiters in der revolutionären Arbeiterbewegung.[99]

Atmosphärisch dichte Evokationen einer von Regen und Wind, Dünen und Klippen beherrschten Landschaft werden in der Erzählung eng verknüpft mit «harten» Berichten vom Alltag und Kampf der Fischer, eine Mischung von Motiven und Stilmitteln, an der schon die Zeitgenossen expressionistische und neusachliche Aspekte feststellten. Auch in der Darstellung der Aufständischen vereinen sich Züge antibürgerlicher Revolutionsromantik mit nüchterner Sicht auf die Lebenssituation einzelner Figuren. Die Autorin zeichnet die extreme materielle Not der Fischer so schonungslos und pathosfeindlich, daß sie den Leser zwar emotional berührt, aber auf eine widersprüchliche, mit bequemem Mitleid nicht zu beruhigende Art, die für Seghers charakteristisch bleibt. Von politischer Organisation im Sinne einer Partei ist im *Aufstand* nirgends die Rede. Die Revolte der Fischer, die sich in einer überschaubaren, in der Einfachheit der sozialen Konflikte archaisch anmutenden Welt abspielt, entspringt unmittelbar der Not, eigentlicher «Held» ist der Aufstand mit seiner Dynamik. Die Erzählung steht noch ganz im Zeichen der Spontaneität, die die sozialistische Literatur bis dahin bestimmt hat. In keinem der zeitgenössischen Werke, die Aufruhr der arbeitenden und arbeitslosen Massen behandeln – Kurt Kläbers «Barrikaden an der Ruhr» (1925) und «Passagiere der III. Klasse» (1927), Friedrich Wolfs «Kreatur» (1926) und «Kolonne Hund» (1927) und Karl Grünbergs «Brennende Ruhr» (1928) –, läßt sich «marxistisch-leninistische Parteilichkeit» in dem engen Sinne, wie sie später von der Kommunistischen Partei und dann der SED gefordert wird, finden.

1928 stellte in dieser Hinsicht einen wichtigen Wendepunkt dar. Die Rezension des *Aufstands* in dem kommunistischen Parteiorgan «Die Rote Fahne», die zwar – wie die Kritiken in der liberalen und linksliberalen Presse – im allgemeinen gut war, aber eine «gewisse, man möchte fast sagen weibliche Verschwommenheit in der Darstellung des Kampfes und seiner Organisation» bemängelte[100], zeigte die Richtung an. Die Partei begann in Erwartung revolutionärer Entwicklungen in Deutschland eine scharfe Abgrenzung gegenüber Linksbürgerlichen und Sozialdemokraten zu fordern, die auch für den kulturellen Bereich galt. Zu dem Zweck wurde der Bund Proletarisch-Revolutionärer Schriftsteller (BPRS) gegründet, der in seinem Aktionsprogramm Kunst zur «Waffe der Agitation und Propaganda im Klassenkampf» erklärte. Seghers, die ja schon Sympathisantin gewesen war, trat genau in diesem Jahr der KPD bei,

Anna Seghers, um 1930

1929 wurde sie, die nun künstlerisches Ansehen einbringen konnte, auch Mitglied des BPRS. Ihre Entscheidung stand also von Anfang an unter dem Bewußtsein des Zwanges zu einem Bekenntnis *für* oder *gegen*, der ihr ganzes weiteres Leben und ihr Verhältnis zur Partei bestimmte.

Die Partei und vor allem der BPRS boten Seghers – hier lief die eigene Entwicklung parallel zu der vieler ihrer Gestalten – die Möglichkeit, aus der Isolation der einzelnen Schriftstellerin herauszutreten und mit den ihr gegebenen Mitteln an der Seite anderer zu «kämpfen». Rückblickend sagte sie selbst: *Es war die revolutionäre Gemeinschaft, die ganze Atmosphäre, die mich im Bund heimisch werden ließ. Es zeigte sich, daß das, was ich schrieb, eine Waffe war, die im Klassenkampf mitkämpfte.*[101] Unter den Kollegen, die genannt werden, befanden sich Egon Erwin Kisch – der in den zwanziger Jahren als «Rasender Reporter» berühmt wurde und zusammen mit seiner Frau Gisl während des gemeinsamen Exils zu den guten Freunden der Seghers gehörte –, Willi Bredel, Erich Weinert, Franz Carl Weiskopf, Ludwig Renn und Johannes R. Becher. Der letzte Satz des Zitats ist bezeichnend. Seghers betrachtete ihre Entwicklung als unausweichlich, selbstverständlich, da *das Künstlerische und das Politische organisch zusammengehören. Ich glaubte schon damals, daß wahrhaft künstlerische Literatur mit dem Wesentlichen verbunden ist. Und wenn mir künstlerisch etwas gelang, dann trat meine Verbundenheit mit dem, was ich für wesentlich hielt, daraus hervor. Man kann gar nicht das Künstlerische vom Politischen abtrennen.*[102]

Während Seghers von jetzt an bereit war, auf die Empfehlungen und die Kritik der kommunistischen Genossen zu hören und Themen aufzunehmen, die für wichtig gehalten und diskutiert wurden, verließ sie sich in Fragen der Kunst, gerade weil sie diesen organischen Zusammenhang voraussetzte, doch sehr stark auf ihre Intuition, in die die bisherigen Lebens-, Studien- und Leseeindrücke eingegangen waren, und auf die Praxis anderer Künstler, angefangen mit Dos Passos und Gladkov über Dostojevskij und Tolstoj bis zu Balzac und Racine, die sie – zu verschiedenen Zeiten – nach Möglichkeiten für ihre eigene Arbeit befragte. In den Debatten des BPRS, die 1931 durch die Ankunft des ungarischen Literaturtheoretikers Georg Lukács in Berlin noch verschärft wurden (er kam aus Moskau und griff mit seiner Kritik an den Romanen des Arbeiterschriftstellers Willi Bredel sofort die bisherige Gleichsetzung von proletarischer mit revolutionärer Literatur an), suchte Seghers bereits damals eine unpolemische, praxisbezogene und vermittelnde Position einzunehmen. Dementsprechend vage heißt es rückblickend: *Gewiß, Diskussionen im Bund proletarisch-revolutionärer Schriftsteller haben mich interessiert. Vielleicht bin ich von einzelnen Auseinandersetzungen über Fragen des Gestaltens beeinflußt worden, auf die uns Lukács gebracht hat. Es waren aber nicht nur die theoretischen Diskussionen, die mich in den Bund zogen, es waren vor allem die Menschen … Lukács arbeitete oft mit uns. Vielleicht fand ich nicht alles, was er sagte, richtig, aber ich fand es doch nachdenkenswert.*[103]

Denn wir schreiben ja nicht, um zu beschreiben, sondern um beschreibend zu verändern[104], erklärte Seghers am Ende von *Kleiner Bericht aus meiner Werkstatt*, einer in Dialogform gehaltenen «Schreibanleitung», die 1932 in der «Linkskurve» erschien und ihren eigenen, einfach formulierten und vom Standpunkt des Schriftstellers ausgehenden Beitrag zu den zeitgenössischen Debatten um eine marxistische Ästhetik darstellte. Sie glaubte stets, daß von allen *echten* Kunstwerken, die die Wirklichkeit des Lebens und damit die Wahrheit der Zeit unausweichlich ausdrückten, eine *tiefe verändernde Wirkung* ausging.[105] Darauf beruhte die unersetzliche Rolle, die die Kunst in der Gesellschaft spielte, eine Rolle, die die Wissenschaft, das heißt auch der Marxismus-Leninismus, der ja zur verbindlichen Wissenschaft von der Gesellschaft erhoben wurde, nicht übernehmen konnte. Der Grund für die besonderen Wirkungsmöglichkeiten der Kunst lag in ihrem Appell an das Gefühl, das dem Verstand und der Wissenschaft nicht zugänglich war, auf das es jedoch ankam. Denn – so sagt Seghers in ihrer 1927 veröffentlichten Rezension des damals viel gelesenen Romans *Zement* von Fedor Gladkov – *der Kopf ist schneller als das Herz*[106], aber auf dem *Grund des Herzens* – heißt es später an anderer Stelle – liegen *die Wurzeln der Handlungen*[107]. Es war die Aufgabe der Künstler, an diese Wurzeln zu rühren und die dazu in jedem spezifischen Fall geeigneten Mittel zu finden, darin lag ihr Beruf.

Seghers meinte, einerseits auf relativer Autonomie für die Kunst bestehen zu dürfen, andererseits den Ansprüchen der Partei Genüge leisten zu können, weil sie von der Annahme ausging, daß Kunst und Partei grundsätzlich das gleiche Ziel verfolgten, die *tiefe Vermenschlichung des Menschen* und der Gesellschaft.[108] Sie stellte diese Annahme nie in Frage, da ernsthafte Zweifel daran den Verlust der künstlerischen Identität bedeutet hätten, die sie im Frühwerk entwickelte und 1928/29 mit ihrer Entscheidung zum Eintritt in die Partei und in den BPRS fixierte.

So zurückhaltend sich Seghers von Anfang an in Fragen der Kunstpraxis gegenüber einer eng verstandenen, doktrinären Parteilichkeit verhielt, so klar bezog sie seit ihrem Eintritt in die KPD in ihrer Rolle als Schriftstellerin in der Gesellschaft Stellung. Sie lehnte es ab, den Künstler oder die Künstlerin über Zeit- und Tagesfragen zu erheben, und wandte bis ins hohe Alter viel Zeit und Energie für publizistische Arbeit auf, bei der sie sich wesentlich weniger Freiräume gegenüber den Postulaten ihrer Partei erlaubte als in der Kunst. Gelegentlich beklagte sie sich zwar über die besonders in der DDR-Zeit immer größer werdende Belastung, doch war sie seit den Anfangsjahren beim BPRS überzeugt: *Nicht nur Schreiben gehörte zu unserem Beruf, auch Vorträge und eindringliches Erklären.*[109]

Als Schriftstellerin, Rednerin und Publizistin erwies sich Anna Seghers, die bei *Grubetsch* und beim *Aufstand der Fischer* zunächst vermieden hatte, als Frau zu zeichnen – und wegen ihres Stils von einigen für einen Mann gehalten wurde –, als durchaus emanzipiert. Selbstbewußt nahm sie ihren Platz neben den meist männlichen Kollegen ein. Daß sie

Abbildungen aus der «Neuen Bücherschau», erschienen 1929 mit der Unterschrift: «Wie unser Zeichner sich Seghers, den Autor von ‹Aufstand der Fischer›, vorstellte ... und wie Seghers wirklich aussieht»

eine «Ausnahmefrau» war – viele Bilder aus ihrem langen Leben zeigen sie als einzige oder eine der wenigen Frauen in einem Meer von Männern –, fand sie weder bemerkenswert noch problematisch. Sowohl in der Berliner Zeit als auch im französischen Exil, solange ihre Kinder also noch klein waren, schuf sie sich stets Möglichkeiten, nicht nur ihrer Hauptarbeit, dem Schreiben, nachzugehen – wobei sie manchmal, wenn es dem Ende einer Arbeit zuging, Urlaub von der Familie nahm –, sondern auch, um zu reisen, sich Material zu beschaffen und Kongresse zu besuchen. Die Teilnahme an Tagungen und Kundgebungen bedeutete für sie stets ein erhebendes Gemeinschaftserlebnis.

Anna Seghers' erste große Tagung war der II. Internationale Kongreß für proletarische und revolutionäre Literatur in Charkow, zu dem sie 1930 zusammen mit Becher, Kisch, Weiskopf, Alfred Kurella, Hans Marchwitza und Ludwig Renn als Delegierte des BPRS fuhr. Anschließend unternahm sie eine Rundreise, die sie unter anderem nach Moskau und zum Bau des Kraftwerks Dneprostroi in die Ukraine führte. Seghers zeigte sich öffentlich von dem, was sie sah – der rapiden Industrialisierung und der forcierten Kollektivierung der Landwirtschaft im Zuge von Sta-

Konferenz proletarisch-revolutionärer Schriftsteller in Charkow, 1930.
In der Mitte (mit der schwarzen Mütze) Anna Seghers, dahinter (mit erhobenem
Arm) Franz Carl Weiskopf

lins erstem Fünfjahresplan –, beeindruckt und ergriff nach der Heimkehr
konsequent Partei für das *grandioseste Aufbauwerk der Menschen*[110]. Sie
verteidigte auch die sogenannten Industrieprozesse, in denen Manager
und Arbeiter für Probleme und Mißerfolge verantwortlich gemacht und
als Saboteure verurteilt wurden.[111] Es galt, die Sowjetunion, die besonders in den zwanziger und dreißiger Jahren nicht nur treuen Kommunisten in aller Welt als wirkliche Alternative zu den Mängeln des Kapitalis-
mus erschien, gegen *Reaktion und Imperialismus*[112] zu verteidigen. Für
öffentliche Kritik war und blieb angesichts tatsächlicher und eingebil-
deter Bedrohung in den Augen der Seghers und ihrer Genossen kein
Raum, eine Haltung, die sich damals etablierte und bis in die DDR-Zeit
fortsetzte.

Als junge und preisgekrönte Autorin war Anna Seghers von Anfang
an eine besonders attraktive Repräsentantin für den BPRS, der schon

den Beitritt der Autorin, «die in der Bourgeoisie einen guten Namen hatte», in seinem Jahresbericht hervorhob und dann ihre «gute Pionierarbeit»[113] anläßlich einer London-Reise – 1929 auf Einladung des P.E.N. Clubs – lobte. Hier entwickelte sich ebenfalls ein Muster, das über die Jahre und bis in die DDR bestehen blieb: Seghers war ein bereitwilliges «Aushängeschild» für ihre Partei, vor allem dann, wenn es darum ging, in breiteren Kreisen Ansehen zu gewinnen oder Bündnispolitik zu betreiben. 1932 nahm sie auch an einem großen Antikriegskongreß teil, der von Willi Münzenberg und der Komintern unter dem Vorsitz von Henri Barbusse veranstaltet wurde.

Neben der politisch-agitatorischen Tätigkeit, die der Parteieintritt mit sich brachte, verfolgte Seghers ihre künstlerische Arbeit mit größter Energie und Zielstrebigkeit weiter. Sie experimentierte in den Jahren zwischen 1928 und 1933 intensiv mit verschiedenen Themen und Erzählmethoden und unterwarf das Geschriebene dann einer strengen Kritik, die offensichtlich die Erwartungen der Genossen berücksichtigte, aber auch eigene Ansprüche des Gelingens stellte. Das wird an ihrem ersten Erzählband, *Auf dem Weg zur amerikanischen Botschaft,* der 1930 erschien, und an der kleinen *Selbstanzeige,* die sie 1931 dafür verfaßte, sehr deutlich. In die Sammlung nahm sie von ihren frühen Texten (inzwischen waren 1929 noch *Die Wellblechhütte* und *Der letzte Mann der Höhle*[114] erschienen) nur *Grubetsch* und *Die Ziegler* auf. Dazu kamen zwei neue Arbeiten, *Bauern von Hruschowo* und *Auf dem Weg zur amerikanischen Botschaft.* Doch auch mit letzterem Text, in dem sie die damals in Deutschland relativ neue Erzähltechnik des inneren Monologs ausprobierte, erklärte sie sich in der *Selbstanzeige* unzufrieden.[115]

Die Erzählung *Bauern von Hruschowo* gefiel Seghers besser. Zum erstenmal situierte sie darin die *revolutionäre Handlung*[116] geographisch und zeitlich genau – in der Karpato-Ukraine, vom Herbst 1918 bis zum Herbst 1920 – und behauptete, *wirkliche Vorgänge*[117] zu berichten. Sie ersetzen das expressionistische Bild vom Weiterleben des Widerstandes im *Aufstand der Fischer* und haben die gleiche Funktion. Aber das Versprechen, das sie ausdrücken, wird historisch – im Hinweis auf den Gang der Geschichte, der die Revolution in einem Land, der Sowjetunion, bereits siegen ließ – begründet. Gleichzeitig verleiht Seghers dem Geschehen eine märchenhafte Aura, nicht um es ins Unglaubliche zu entrücken, sondern um ihm Eindringlichkeit und Allgemeingültigkeit zu verleihen. Nicht zu Unrecht hat man der Erzählung, die mit ihrer Huldigung an die Sowjetunion das Bekenntnis, das Seghers in diesen Jahren publizistisch leistete, auch erzählerisch ausdrückte, einen «lichten Optimismus» zugesprochen, der in den Arbeiten der Autorin aus der Weimarer Periode und der Exilzeit sonst selten ist.[118] Erst das Alterswerk versuchte wieder, «schöne Märchen für Erwachsene» zu erzählen, der Optimismus darin wirkt aber vergleichsweise gequält und erzwungen.[119]

Johannes R. Becher

Die Reaktion der Genossen auf den Erzählband war dennoch nicht sehr positiv; «wir verstehen, daß solche Meisterschaft des Könnens, wie sie Anna Seghers zu eigen ist, zu allerlei Experimenten reizt», erklärte ein anonymer Kritiker der «Linkskurve», lehnte Experimente aber offensichtlich ab. Er vermißte bei Seghers, worauf es ihm in erster Linie ankam, den klaren «Aufruf zum Handeln», den auch sie leisten müsse, «eindeutig und überzeugend»[120]. Daß die Autorin solche Kritik erwartete und daß sie sich dagegen behaupten, sie aber auch berücksichtigen wollte, zeigt schon die *Selbstanzeige.* In einer Reihe kleinerer Texte, die in kommunistischen und den Kommunisten nahestehenden Zeitungen und Zeitschriften, wie «Die Rote Fahne», «Die Linkskurve», «Illustrierte Neue Welt» und «Arbeiterstimme», veröffentlicht wurden, leistete Seghers außerdem der Forderung ihres Kritikers unmißverständlich Genüge. *Marie geht in die Versammlung* und Skizzen, Anekdoten und eine Nacherzählung, die sich mit chinesischen Stoffen befassen (*1. Mai/Yánschupou, Die Stoppuhr*[121], *Der Führerschein* und *Der Last-Berg*), stellen im kommunistischen Sinn beispielhafte Taten und Situationen klar und eindeutig als solche dar.

In ihrer *Selbstanzeige* sprach Seghers auch von *dem Roman, an dem ich jetzt arbeite*. Sie bezog sich auf *Die Gefährten* (1932), das anspruchsvollste Werk dieser Jahre. Darin nahm sie einen Stoff auf, der ihr seit der Studienzeit besonders nahestand, die Zerschlagung der ungarischen Räterepublik und die Schicksale der betroffenen Revolutionäre in Exil und Illegalität. Seghers behandelt aber nicht die Kämpfe, sondern die Warte- und Übergangsperiode der folgenden Jahre – von 1919 bis 1930. Der Handlung um die Ungarn ordnet sie weitere Erzählstränge um Polen, Italiener, Bulgaren und Chinesen bei, die den Internationalismus der Bewegung unterstreichen. Das ungarische Eingangskapitel jedoch, das in eindringlichen Bildern die Grausamkeit der Gegenrevolution und den noch im Sterben unbeugsamen Widerstandswillen des Volkes schildert, bestimmt Ton und Atmosphäre des Buches.

Revolutionäre Tätigkeit, die durch das Mißverhältnis zwischen Einsatz und im Moment Erreichbarem noch erschwert wird, fordert eine ausschließliche, jeden Anspruch auf privates Glück – das heißt vor allem auch Liebe und Familie – zurückstellende Hingabe und muß durch unbedingten Glauben und unbedingte Opferbereitschaft aufrechterhalten werden. Man kann *Die Gefährten* als den am breitesten angelegten Versuch von Anna Seghers betrachten, das Grundthema ihrer Arbeit bis 1933 – Kampf gegen bestehende, psychisch und sozial unerträgliche Verhältnisse als einzig möglichen, dem Individuum aber alles abverlangenden Lebenssinn – zu gestalten und in zunehmendem Maße konkret in der Zeitgeschichte und eigenen Zeiterfahrung zu verankern. An Deutschland selbst wagte sie sich allerdings auch darin erst indirekt und am Rande heran.

Alle Charaktere werden einem einzigen Maßstab unterworfen, ihrer Nützlichkeit für die Sache der Partei, was nicht nur unbedingte Treue, sondern auch Anpassungsfähigkeit und *Kraft* erfordert. Letztere ist in erster Linie eine spirituelle und emotionale Qualität, die an den Heiligen Geist der christlichen Tradition erinnert. Gegen Anfang und am Ende des Romans steht die Geste des Segnens, mit der ein älterer Revolutionär Glauben und Kraft an einen jüngeren weitergibt und ihn in den Kreis der «Erwählten» aufnimmt.

Eine andere für Seghers und ihr künstlerisches Selbstverständnis bedeutsame Form der Weitergabe, die in ihren Werken immer wiederkehrt, ist das Erzählen selbst. In der bulgarischen Handlung wird dieses Motiv an dem Schicksal des Holzfällers und Revolutionärs Dudoff auf komplexe Weise entwickelt. Dudoff erträgt die furchtbarsten Qualen, die ihm bei seiner wiederholten Gefangennahme zugefügt werden, mit unglaublichem Mut und kann immer wieder fliehen, nur um schließlich im Exil zu erkennen, *daß er stehengeblieben... daß seine Kraft endgültig erschöpft war*[122]. Als nächstes hören wir von ihm, daß er in seinem Heimatbezirk erhängt worden ist. Doch ist es nicht mehr die Erzählerin, die selbst berichtet, sondern sie gibt ein Kneipengespräch wieder, das an der zweiten um Dudoff gesponnenen Handlung teilhat, der Entstehung von Legenden um diesen Mann. Denn parallel zum Leben des «wirklichen» Dudoff und der Tragik des unbrauchbar gewordenen Revolutionärs, die der Roman vermittelt, bringt er auch die Wundermärchen, die unter den armen Holzfällern und Bauern über Dudoff kursieren und ihnen Widerstandskraft und Selbstvertrauen geben. Der sterbliche Mensch – ob *verbraucht* oder tot – löst sich im Roman vor den Augen des Lesers in den legendären, unvergänglichen auf. Das Erzählen von Heldentaten – und damit auch das eigene Schreiben – wird zur Quelle der Hoffnung und des Ansporns für die Zukunft. Es gibt der individuellen und vergänglichen Existenz dauernden Wert.

Die Gefährten zeigen eine später von Seghers nie mehr wiederholte Verbindung von politischer und künstlerischer Radikalität. Ähnlich wie schon in Kläbers «Passagiere der III. Klasse» wird eine Grundsituation an Hand eines großen Figurenensembles durchgespielt. Die Autorin ver-

Proklamation der Räterepublik in Ungarn, 1919

Anna Seghers und die chinesische Autorin Schü Yin, 1932

wendete dafür eine Simultan- und Montagetechnik, der sie in den damals viel beachteten Romanen von John Dos Passos, dessen Modernismus sie später in ihrem Briefwechsel mit Georg Lukács nicht von ungefähr verteidigte, begegnet war, aber auch in russischen Filmen. Schon in ihrer «Zement»-Rezension 1927 hatte Seghers Gladkovs *Schreibzeug, das von gestern auf seinem Schreibtisch liegengeblieben ist,* kritisiert und *jenen gestählten und gehämmerten Rhythmus* bewundert, *der in einigen Zeilen von Babel und der Reisner die Sprache ankündigt, mit der sich die Zukunft der Gegenwart erinnern wird* [123]. Mit ihrem Roman wollte sie sich nicht nur politisch, sondern auch künstlerisch der Avantgarde verpflichten, beides ging für sie damals Hand in Hand. Als *Die Gefährten* im Herbst 1932 erschien, blieb jedoch keine Zeit mehr für die politischen und künstlerischen Fragen, die der Roman aufwarf. Nur Siegfried Kracauer schrieb noch eine ausführlichere – positive – Kritik, die das Buch mit Recht eine «Märtyrerchronik» [124] nannte.

Seghers war in den letzten Jahren der Weimarer Republik auf Grund ihres aktiven Einsatzes und ihrer künstlerischen Leistungen zu einem angesehenen Mitglied im linken Literaturleben geworden. Auf der Reichsarbeitskonferenz des BPRS wählte man sie im Juni 1932 in die Leitung, und noch am 7. Februar 1933 bestimmte sie der Schutzverband deutscher

Berlin, Unter den Linden: Bücherverbrennung der Nazis am 10. Mai 1933

Schriftsteller zur Delegierten für seine Generalversammlung. Daß sich die Kommunistin und Jüdin, die den Feindbildern der Nationalsozialisten voll entsprach, seit Hitlers Machtergreifung im Januar 1933 in Gefahr befand, ist selbstverständlich. *Ich verließ 1933 Deutschland, nachdem die Polizei mich schon einmal verhaftet hatte und unter ständiger Bewachung hielt* [125], berichtete sie selbst lakonisch. Ob und unter welchen Umständen tatsächlich eine Verhaftung stattfand, ließ sich bisher allerdings nicht feststellen. Seghers und ihr Mann hatten auf jeden Fall guten Grund, nach dem Reichstagsbrand aus Deutschland zu fliehen. Die Kinder – der Sohn war zu der Zeit wegen Scharlach in einem Erholungsheim, die Tochter in Mainz – blieben zunächst unter der Obhut der Großeltern zurück. [126]

In einer kleinen Skizze von 1933, *Das Vaterunser*, die unter einem anderen Pseudonym erschien, aber von Seghers stammt, beschreibt ein Ich-Erzähler seine Verhaftung und die schreckliche Feindseligkeit, die ihm unerwartet in den wohlbekannten Gesichtern seiner Umwelt entgegentritt. Die kleine Skizze über Naziterror ist auf keinen Fall autobiographisch, die Erfahrung aber, daß der vertraute Alltag mit seinen zwischenmenschlichen Beziehungen plötzlich auseinanderbrach, blieb Seghers nicht erspart. Von nun an sollte dieser Alltag, das *gewöhnliche Leben* in Sicherheit und Menschenwürde, zu einem wichtigen Thema für sie werden.

44

Exil: Frankreich

Anna Seghers und ihr Mann flohen über die Schweiz[127] nach Frankreich, das bis zum Ausbruch des Kriegs eine aufnahmebereite Asylpolitik betrieb und ihr wie so vielen Emigranten, unter ihnen zahlreichen Genossen, die beste Zuflucht zu bieten schien. Gleich anderen befand sie sich zunächst in einem *vagen Zustand... den wir für ein Zwischenstadium hielten, auf baldige Heimkehr hoffend*[128]. Doch auch für sie dauerte das Exil nicht nur unerwartet lange, sondern wurde eine sehr schwere Zeit. Als Seghers 1947 zurückkehrte, war ihr Haar weiß.[129]

Dennoch ist die Bilanz, was die künstlerische Arbeit und Leistung betrifft, ungewöhnlich positiv. Es gelang Seghers nicht nur, die in der Emigration häufigen Schaffenskrisen und Selbstzweifel zu vermeiden, sondern in der Zeit zwischen 1933 und 1947 viele ihrer besten Romane, Erzählungen und Aufsätze zu schreiben. Dafür gibt es verschiedene Gründe. Zum einen stand das Exil für Seghers ganz im Zeichen des antifaschistischen Kampfes und sprach die tiefe Einsatzbereitschaft, die ihr Leben und ihre Literatur von Anfang an bestimmt hatten, voll an. Die Idee eines *Auftrages* hatte Seghers schon in ihrer Studentenzeit, als sie die ungarischen Emigranten kennenlernte, tief bewegt und erhielt nun größte, sie selbst direkt einbeziehende Dringlichkeit. Als Schriftstellerin war sie Teil einer großen Gemeinschaft geworden, die Georg Büchner und Heinrich Heine einschloß, Autoren, die ebenfalls aus ihrer Heimat fliehen mußten, weil sie für die *progressive Geschichte, die Freiheit* ihres Volkes eingetreten waren. Wie Seghers in ihren Werken vielfach thematisierte, kam es in Zeiten großer Unterdrückung ganz besonders darauf an, das Wissen um die Widerstandskraft des Menschen lebendig zu erhalten und weiterzugeben. Zum anderen bedeuteten die Kontakte mit unterschiedlichen Kulturen und die Ideen der Volksfront (in Paris und in Mexiko) für die Autorin eine wesentliche Öffnung und Bereicherung des künstlerischen Horizonts.

Die Mainzerin Anna Seghers fühlte sich Frankreich, das sie von früheren Reisen kannte, dessen Sprache sie beherrschte und dessen Literatur sie liebte, besonders verbunden. Nie vergaß sie, daß aus diesem Land die Worte *liberté, egalité, fraternité* in die Welt gegangen waren, und sie bewunderte seine *großartige Tradition revolutionären Denkens, seine konti-nuierliche, logische, beinahe organische Entwicklung*[130]. Enttäuschungen, wie sie zum Beispiel Lion Feuchtwanger in seinem autobiographischen Bericht «Unholdes Frankreich» (auch «Der Teufel in Frankreich») dar-stellte – Schwierigkeiten des Emigrantenalltags, Kleinlichkeiten der Be-völkerung, Schikanen der Behörden, Kollaboration und Grausamkeit während der deutschen Besetzung –, blieben Seghers nicht erspart, än-derten aber nichts an ihrer positiven Einstellung, die auch nach dem Krieg in dem kleinen Text von 1947 *Pariser Brief: Quartier Latin* und spä-ter in den *Karibischen Geschichten* Niederschlag fand.

Die politische Entwicklung in Frankreich bestätigte dieses Vertrauen zunächst. Als Antwort auf rechtsradikale Unruhen, die im Februar 1934 einen Höhepunkt erreichten, kam es hier zu einer Verbindung der soziali-stischen Parteien mit den Kommunisten in der «front populaire», die 1936 die Wahlen gewann. Obwohl die Bewegung 1938 schon wieder aus-einanderfiel, schuf sie doch für einige Jahre eine geistig und politisch sti-mulierende Atmosphäre, in der sich Paris schnell zu einem Zentrum des internationalen und deutschen Antifaschismus entwickelte.

Auch die Radványis kamen nach Paris. Nachdem sie die Kinder im Juni von den Großeltern an der Grenze abgeholt und den Sommer mit ihnen in dem kleinen Ort Équihen verbracht hatte, mietete Seghers am Rande der Stadt, in Bellevue, Meudon, eine Wohnung. Dahin ließ sie Möbel und Hausrat aus Deutschland nachschicken, um sich, so gut es eben ging, einzurichten. Sie suchte in allen Stationen des Exils immer wieder ein gewisses Maß an Ordnung und Normalität herzustellen, um selbst arbeiten zu können, vor allem aber für die Kinder, auf deren Schul-besuch und Aufgaben sie sorgfältig achtete.

Über ihre individuellen Sorgen als Frau und Mutter in diesen unsiche-ren Jahren, die um so größer wurden, je tiefer der Schatten Hitlers auf Frankreich fiel, sprach Seghers außerhalb ihres privaten Alltags nur sel-ten. Ein Brief vom März 1939 an Johannes R. Becher in die Sowjetunion gibt – unter Entschuldigungen, daß sie dergleichen überhaupt erwähnt – ein seltenes Bild ihrer Situation, kurz bevor der Hitler-Stalin-Pakt und der Ausbruch des Kriegs alles noch schwieriger machten: *Mein Leben und meine Arbeitsbedingungen sind, wie Du Dir sicher vorstellen kannst, äußerst kompliziert. Ich habe mit großer Freude das Geld vom Goslitiz-dat*[131] *erhalten, mußte aber leider gleich einen großen Teil für Schulden verwenden. Das alles schreibe ich nur, weil Du darum gebeten hast, sonst würde ich keine Zeit verlieren. Es mag seltsam erscheinen, wenn ich sage, daß meine Lage dadurch erschwert wird, daß ich nicht nur Schriftstellerin, sondern auch Mutter von zwei Kindern bin. Rodi, der in zwei Schulen und an einer Zeitschrift beschäftigt ist und außerdem noch viele andere Arbeit macht, kann sich wenig um uns kümmern, im besten Falle so viel, wie es für einen Menschen unerläßlich ist. Das alles führt dazu, daß ich vom*

Anna Seghers mit ihrem Mann und den Kindern 1933 in Équihen, Nordfrankreich

Morgen bis zum späten Abend eingespannt bin... Ich muß alles so ernsthaft und energisch in Angriff nehmen, damit ich Arbeitsbedingungen für mich schaffe.[132]

Seghers' Mann, für den Emigrant zu sein nichts Ungewohntes bedeutete, gründete bereits 1934 die an die Berliner MASCH anknüpfende Deutsche Volkshochschule, übernahm 1935 die Leitung der neu eröffneten Freien Deutschen Hochschule und 1938 die Redaktion einer «Zeitschrift für Freie deutsche Forschung». Diese Einrichtungen standen im Zeichen der Volksfront und sollten allen Emigranten, Kommunisten und Nichtkommunisten, Gelegenheiten zur Weiterbildung und zum wissenschaftlichen Austausch bieten und Informationen über Nazideutschland vermitteln.[133] Seghers beteiligte sich mit Vorträgen über Literaturgeschichte.

Auch für sie waren die Jahre bis zum Ausbruch des Kriegs eine besonders aktive und produktive Zeit. Sie nahm ihre Kontakte zu exilierten

47

Mit Bodo Uhse und Lion Feuchtwanger in der «Deutschen Freiheitsbibliothek», Paris 1935

Kollegen sogleich wieder auf – aus dem BPRS, der zunächst[134] seine Zusammenkünfte in Paris fortsetzte, und aus dem Schutzverband deutscher Schriftsteller, zu dessen Neubegründern im Exil sie 1933 gehörte. In der Folge beteiligte sich Seghers zusammen mit vielen anderen, unter ihnen Rudolf Leonhard, Ludwig Marcuse, Lion Feuchtwanger, Egon Erwin Kisch, Alfred Kantorowicz, an den Veranstaltungen und an der Leitung des Schutzverbandes deutscher Schriftsteller. Bei der Schaffung der «Deutschen Freiheitsbibliothek», die am 10. Mai 1934, am Jahrestag der Bücherverbrennung, mit André Gide, Romain Rolland und Lion Feuchtwanger als Ehrenpräsidenten und Heinrich Mann als Präsidenten eröffnet wurde, war sie ebenfalls im Initiativkomitee. Das kulturelle Leben des frühen Exils gab ihr, die treues Parteimitglied blieb und die Treffen einer Parteizelle im Haus des Fotografen Ralph Zahn besuchte, nicht nur die Möglichkeit, sondern sogar die Pflicht zu vielfältigen Kontakten. Die gebildete Frau, die gut Französisch sprach, war für die kommunistische Führung eine wichtige Brücke zu den nichtkommunistischen und zu den französischen Autoren, die für den antifaschistischen Kampf im Zeichen der Volksfront mobilisiert werden sollten. Als man für 1935 einen Internationalen Kongreß zur Verteidigung der Kultur plante, beauftragte man sie, den Vorschlag öffentlich zu machen und zu begründen.

Bei rein geselligen Zusammenkünften war Seghers selten zu finden[135], dafür hatte sie keine Zeit. Zu den engeren Bekannten und Freunden der

Radványis, die gelegentlich hinaus nach Meudon kamen, gehörten Kisch und seine Frau Gisl und der österreichische Schriftsteller Bruno Frei. Seghers hatte auch eine Reihe von Freundinnen; darunter Frauen, die ihr bei den Kindern und im Haushalt halfen und die sie zu Vertrauten machte[136], außerdem die Französin Jeanne Stern, die nach der Besetzung von Paris wesentlich dazu beitrug, daß sie in den Süden Frankreichs fliehen konnte; und Lore Wolf, die für sie Manuskripte abtippte und ihr bis ins Alter eng verbunden blieb, obwohl die beiden später in verschiedenen Teilen Deutschlands wohnten.

Wenn Seghers sich im Exil bemühte, ihre Rolle als Schriftstellerin unter den veränderten Bedingungen neu zu verstehen und eine entsprechende künstlerische Praxis zu entwickeln, so tat sie das im Rahmen breiter kultureller und politischer Diskussionen. Besonders wichtig für sie war das Konzept der Volksfront, das in diesen Jahren entwickelt und zur Basis für den Kampf gegen den Faschismus gemacht wurde, zuerst im Bereich der Kultur, von 1935 an als erklärte Bündnispolitik der kommunistischen Parteien. Den großen Anstoß gab der «Internationale Schriftstellerkongreß zur Verteidigung der Kultur» vom 21. bis 25. Juni in Paris, zu dem Seghers aufgerufen hatte. Sie beteiligte sich auch an den Vorbereitungen und hielt darauf ihren ersten, für ihre Gedanken und ihre zukünftige Arbeit wesentlichen Exilvortrag, *Vaterlandsliebe*.[137] Seghers be-

Volksfrontdemonstration 1936. Pinselzeichnung von Max Lingner

fand sich in guter Gesellschaft, zu den Rednern gehörten Ernst Bloch, Bertolt Brecht, Robert Musil, Ernst Toller, Heinrich und Klaus Mann, Henri Barbusse, Louis Aragon, André Gide und André Malraux.

Eines der zentralen Diskussionsthemen war die Frage nach dem «kulturellen Erbe», das es vor dem Mißbrauch, den die Nationalsozialisten damit trieben, zu bewahren und gegen sie zu mobilisieren galt. Auch Seghers befaßte sich in ihrem Vortrag mit dem «Erbe» und verwies auf eine für sie besonders relevante Tradition, *die erstaunliche Reihe der jungen, nach wenigen übermäßigen Anstrengungen ausgeschiedenen deutschen Schriftsteller… Keine Außenseiter und keine schwächlichen Klügler gehören in diese Reihe, sondern die Besten: Hölderlin, gestorben im Wahnsinn, Georg Büchner, gestorben durch Gehirnkrankheit im Exil, Karoline Günderode* [sic]*, gestorben durch Selbstmord, Kleist durch Selbstmord, Lenz und Bürger im Wahnsinn.*[138] Sie stellte sich mit ihrer Berufung auf diese Dichter, denen kein abgerundetes Werk gelungen war, an die Seite von Ernst Bloch, der in seinem Kongreßbeitrag, «Marxismus und Dichtung», und in seinem Buch von 1935, «Erbschaft dieser Zeit», eine offene, dialektische Haltung zur literarischen Tradition propagierte. Er wollte die «Großtaten des Expressionismus», zum Beispiel die Montage, anerkennen und als Erbe aufnehmen und argumentierte (1938 in «Diskussionen über Expressionismus»), daß «das Verworrene, Unreife» nicht nur Zeichen der Dekadenz, sondern auch Zeichen des «Übergangs aus der alten in die neue Welt» sein könne.[139] Bloch stand damit im Gegensatz zu Georg Lukács, der den Begriff des Erbes auf die klassisch-humanistischen und bürgerlich-realistischen Traditionen beschränkte und – von Moskau aus – den Expressionismus als Dekadenz und Wegbereiter des Faschismus angriff.

Lukács und Bloch waren die bedeutendsten, aber keineswegs die einzigen Kontrahenten in der sogenannten Expressionismus/Realismus-Debatte, die eng verbunden mit dem Thema Erbe – an frühere Diskussionen um eine marxistische Kunst anknüpfend – im Exil aufflammte. Diese Debatte fand zwischen 1937 und 1938 in Beiträgen zu der von Brecht, Feuchtwanger und Bredel redigierten Exilzeitschrift «Das Wort» ihren Höhepunkt. Etwas später und nicht im «Wort», sondern 1939 in der von Johannes R. Becher herausgegebenen «Internationalen Literatur» – beide Zeitschriften erschienen in Moskau – folgte der Briefwechsel von Anna Seghers mit Georg Lukács, der ihren Beitrag zur Diskussion darstellte. In zwei Briefen, vom 28. Juni 1938 und Februar 1939, die wesentliche Punkte ihrer Kunstauffassung enthalten, plädierte Seghers aus der Perspektive der Literatur- und Kunstproduzentin für eine differenzierte, flexible Haltung zum kulturellen Erbe und für mehr Verständnis der Moderne. Sie definierte Realismus als *Tendenz zur Bewußtmachung von Wirklichkeit* und fragte, *ob es überhaupt irgendein wirkliches Kunstwerk gibt, in dem nicht eine Substanz Realismus enthalten* sei.[140] *In Krisenzeiten*

Ernst Bloch

– und als solche empfand sie ihr Zeitalter jetzt mehr denn je – sei es jedoch besonders schwer, *der Realität habhaft zu werden*, da die *Unmittelbarkeit* der *Grunderlebnisse*, von der jeder Künstler ausgehen müsse, dann eine Art *Schockwirkung* habe. *Krisenzeiten*, erklärte sie, *sind in der Kunstgeschichte von jeher gekennzeichnet durch jähe Stilbrüche, durch Experimente, durch sonderbare Mischformen.*[141] Das gelte auch für *die Gestaltung der neuen Grunderlebnisse, die Kunst unsrer Epoche*[142]. Sie mit Dekadenz abzuurteilen sei daher künstlerisch und politisch weder gerechtfertigt noch nützlich. *Unser Hauptfeind ist der Faschismus. Wir bekämpfen ihn mit allen physischen und intellektuellen Kräften.*[143] Es gehe nicht um *Entweder-Oder*, sondern um *eine starke vielfältige antifaschistische Kunst, an der alle teilhaben, die als Antifaschisten und Schriftsteller dazu qualifiziert sind, um Fülle und Farbigkeit in unsrer Literatur*[144]. Seghers verteidigte ihren Standpunkt als einen der Volksfront. Ihre

Überlegungen standen denen Blochs in vielen Punkten nahe, aber auch Brecht, Walter Benjamin und Hanns Eisler traten gegen einen engen Realismusbegriff und gegen die Abwertung der Moderne ein. Es waren jedoch nicht ihre Ansichten, die später für die DDR verbindlich wurden, sondern die sowjetischen Postulaten wesentlich näherstehenden von Lukács. Seghers, die am längsten lebte und in der DDR die höchsten Funktionen übernahm, gab zwar ihre eigenen, schon in der Rembrandt-Studie angelegten Überzeugungen nie auf. Sie plädierte weiterhin für *Breite und Tiefe der Literatur* und warnte vor *Schematismus*[145], agierte aber in der keineswegs dialogbereiten Atmosphäre der fünfziger und sechziger Jahre äußerst vorsichtig und konnte sich nicht durchsetzen. Auch 1938/39 trat sie nicht polemisch auf. Immerhin wurden ihre Überlegungen veröffentlicht, während die Brechts damals in der Schublade blieben.

Neben der Öffnung der eigenen Reihen während der Volksfront waren die Begegnungen mit Schriftstellern wie Aragon, Gide und Malraux wichtig für Seghers. Die weitreichenden Debatten, die die französischen Intellektuellen unter anderem in der Zeitschrift «Europe» – in der auch sie ihre tagebuchartigen Skizzen *Six jours, six années* veröffentlichte[146] – über Kunst und Politik führten, Debatten, in denen künstlerische Avantgarde und Antifaschismus durchaus vereinbar waren, bestätigten und stimulierten sie. Sie entwickelte in dieser Atmosphäre eine Selbstsicherheit, die sich positiv auf ihr gesamtes Exilwerk auswirkte.

In den Kontakten mit den französischen Intellektuellen wurde sich die Deutsche aber auch einer schwer zu überwindenden Distanz bewußt. Sie fand den *Lebensstil eines Malraux oder eines Aragon, bei aller Kühnheit ihres Denkens und zweifelsohne auch ihres Handelns, eher dem unserer Eltern als dem unsren ähnlich* und meinte, daß die Franzosen *nur selten den Grund unserer Mentalität, unserer Ideen verstehen können... oft, weil es ihnen einfach an Interesse fehlt*, doch auch weil *wir uns nicht verständlich genug machen konnten*[147]. Seghers sah diese Distanz als Herausforderung. In *Six jours* notierte sie: *Diner bei Malraux. Starker Wunsch, mich verständlich zu machen und durch mich die Meinigen.*[148] Das wollte sie mit ihrer Arbeit leisten. *«Es fehlt eurer deutschen Literatur an den großen gesellschaftlichen Romanen, die das Leben bei uns in Frankreich, in Rußland, in England, in Amerika erklären helfen»*[149], zitierte sie den französischen Schriftsteller Jean-Richard Bloch, drückte damit aber den Schreibimpuls aus, der für sie selbst im Exil verpflichtend wurde. Sie konzentrierte sich nun auf deutsche Zeitgeschichte und deutsche Schicksale, die sie zu einem immer breiter werdenden Panorama verarbeitete.

Bereits 1933 veröffentlichte Anna Seghers bei Querido in Amsterdam, dem bedeutendsten der trotz schwieriger Bedingungen schnell entstehenden Exilverlage, das Buch *Der Kopflohn*, mit dem Untertitel: *Roman aus einem deutschen Dorf im Spätsommer 1932*. Der wahrscheinlich schon in

Deutschland begonnene Roman behandelte *das Eindringen des Nazismus in die bäuerliche Bevölkerung*[150] und brachte zur Sprache, was die KPD 1933 noch nicht zu diskutieren bereit war, Versäumnis und Niederlage der Kommunisten auf dem Lande, wo die Nazis besonders große Erfolge erzielt hatten. Seghers stellte dieses Versagen mit dem Tod des Kommunisten Rendel auf symbolischer Ebene, mit der Konfrontation zweier junger Männer, Roter und Nazi, auf der Ebene der erzählten Handlung dar.

Der junge Nazi wird sympathisch gezeichnet, obwohl er es ist, der den anderen verrät. *Kößlin wäre auch mit dem Teufel gegangen, wenn er ihm erlaubt hätte, in der Hölle Holz zu hacken*[151],

sagt die Erzählerin von seiner verzweifelten Sehnsucht nach Arbeit und Zugehörigkeit. Sie deutet an, daß er sich wahrscheinlich anders entschieden hätte, wenn er rechtzeitig Aufklärung und Anschluß auf der richtigen Seite gefunden hätte. Während Seghers eine Figur wie Kößlin nie wieder aufnimmt, kehrt ein anderer Typ von Nazi im Roman, der brutale Schläger und SA-Mann Zillich, von nun an im Werk wieder, sogar unter demselben Namen.[152] Auch ihn führen wirtschaftliche Not und Unzufriedenheit mit dem Leben, das er bisher erfahren hat, zu den Nationalsozialisten. Die bieten ihm und seinesgleichen – sie stammen alle aus demselben kleinbäuerlichen Milieu – die Gelegenheit, aus den Zwängen eines trostlosen Alltags auszubrechen, mit Brutalität die Verhältnisse umzukehren und sich vom Mißachteten zum Gefürchteten, vom Niemand zum Jemand zu erheben: *Er spürte das fremde Blut an seiner Hand mit ungeheurer Erleichterung wie einen eignen Aderlaß. Sein Unglück war draußen, für diesen Augenblick wenigstens.*[153] Sowohl mit der Darstellung Kößlins als auch mit der Zillichs schließt Seghers im *Kopflohn* an frühere Zeichnungen menschlicher Hoffnungslosigkeit und Gewalttätigkeit an, situiert sie aber nun sozial und historisch konkret in der Endphase der Weimarer Republik und zeigt sie als Ansatzpunkte für den Nationalsozialismus. In der patriarchalischen, durch die Härte des Daseinskampfes besonders kraß von Besitz und Ausbeutung bestimmten Dorfwelt erscheinen sie in ihren Extremen. Nicht nur bei fanatischen SA-Leuten wie Zillich und bei Jungen wie Kößlin kann der Faschismus schnell Fuß fassen, auch bei den skeptisch abwartenden «Normalbürgern» stößt er auf wenig Widerstand. Die gewohnten, auf Vorteil oder Überleben ausgerichteten Verhaltensweisen wie Vorsicht, Anpassung und Berechnung spielen den Nazis in die Hände.

Man hat *Kopflohn* unter die für die erste Phase des Exils charakteristischen Enthüllungsromane eingeordnet, neben Werke wie Willi Bredels «Die Prüfung», Wolfgang Langhoffs «Moorsoldaten», Gustav Reglers «Im Kreuzfeuer» und auch Lion Feuchtwangers «Geschwister Oppenheim».[154] Anna Seghers ging es jedoch nicht so sehr um die Entlarvung von Naziterror als um eine – zunächst räumlich, zeitlich und sozial auf engen Raum beschränkte – Bestandsaufnahme, mit der sie zu zeigen versuchte, warum sich die Nazis auch ohne Terror im deutschen Alltag schnell durchsetzen konnten.

Als nächstes wählte Seghers einen Stoff, der nicht unmittelbar mit Deutschland zu tun hatte, aber den deutschen Antifaschisten sehr naheging, die Februarkämpfe 1934 in Österreich. Dort war der bewaffnete Widerstand des Republikanischen Schutzbundes, einer Arbeiterkampftruppe, gegen das klerikal-faschistische Dollfuß-Regime zwar von den Regierungstruppen und der rechten paramilitärischen Heimwehr blutig niedergeschlagen worden, aber die Tatsache der Kämpfe, in denen Sozialdemokraten und Kommunisten nebeneinander standen, erregte die Phantasie und die Hoffnungen vieler linker Schriftsteller. Friedrich Wolf in dem Drama «Floridsdorf», Becher und Brecht in Gedichten, Wieland Herzfelde in einer Dokumentation, Oskar Maria Graf in dem Roman «Der Abgrund» behandelten alle die Ereignisse in Österreich. Gleich im März veröffentlichten die in Prag herausgegebenen «Neuen Deutschen Blätter», an deren Redaktion Seghers mitarbeitete, eine Sondernummer über die Ereignisse, in der auch der steirische (ursprünglich aus dem Banat stammende) Arbeiterführer Koloman Wallisch vorkam.[155]

Seghers fuhr im Frühsommer 1934 selbst nach Österreich, um die Orte, an denen die Kämpfe stattgefunden hatten, zu besuchen und den Spuren von Wallisch zu folgen.[156] Schon im Juli erschien in den «Neuen Deutschen

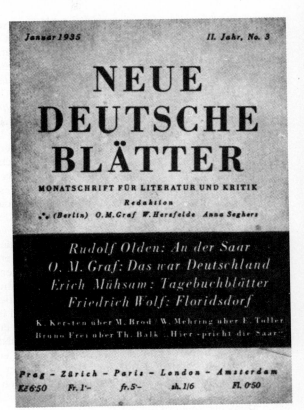

Die «Neuen Deutschen Blätter», an deren Redaktion
Anna Seghers mitarbeitete

Blättern» ihre *reportagehafte Novelle*[157] *Der letzte Weg des Koloman Wallisch.* Seghers plante aber außerdem ein Buch und besaß dafür wahrscheinlich einen Auftrag von Willi Münzenberg, der die Propagandaabteilung der Komintern im Westen leitete und in Paris den Exilverlag Éditions du Carrefour gegründet hatte.[158] Jedenfalls begann sie sofort nach der Heimkehr an einem Roman zu arbeiten[159], *Der Weg durch den Februar,* der 1935 bei Carrefour herauskam.

In den Titeln von Novelle und Roman klingt das Verhältnis der Erzählerin zu ihrem Stoff durch. Auf der Reise und beim Erzählen folgt sie dem Weg der Aufständischen, den sie als Kreuzweg nach christlichem Muster, doch mit bezeichnenden Unterschieden sieht. Dies wird in der Reportageerzählung besonders deutlich, in der die Ich-Erzählerin von einer Art Pilgerfahrt berichtet, auf der sie selbst den Stationen auf Wallischs *letztem Weg*, seiner erfolglosen Flucht, nachgeht und die mit einer für Seghers charakteristischen Umformung des Auferstehungs-Mythos endet: Der Tote, *der Fleisch war vom Fleisch der Arbeiterklasse, das man gequält hat*, bleibt in der Erinnerung anderer Arbeiter *lebendig* und wirksam.[160]

Die Struktur des Romans ist ähnlich wie in *Die Gefährten*: Seghers präsentiert zahlreiche rasch sich abwechselnde Schauplätze in Wien und anderen Orten Österreichs mit den ihnen zugehörigen Charakteren und simultan nebeneinandergeführten Handlungssträngen, Erzählerkommentar vermeidet sie. Die höchst aktuellen, zeitgeschichtlichen Ereignisse – von Ende 1933 bis Frühjahr 1934 – folgen einem vertrauten Muster: Ausbruch, Verlauf und Niederwerfung eines Aufstandes. Seghers betont, daß die Initiative für die Erhebung nicht von der vorsichtigen, um Erhaltung von Leben und bereits erreichten Fortschritten der Arbeiterschaft besorgten sozialdemokratischen Führung, sondern von den Massen selbst kommt und in vielen Teilen des Landes fast gleichzeitig erfolgt. Kommunisten spielen in dem Roman, den realen österreichischen Verhältnissen entsprechend, nur eine kleine Rolle, drängen jedoch alle darauf, *daß es losgeht*[161]. Über Einsatzbereitschaft und Mut entscheidet indessen nicht die Parteizugehörigkeit, sondern ein viel tiefer verwurzeltes Klassenbewußtsein, das den Proletarier ausweist und ihn im kritischen Augenblick solidarisch neben seinesgleichen kämpfen läßt.

Wie Seghers' frühere Werke über Rebellion und Aufstand, endet auch *Der Weg durch den Februar* mit einem Stärkerwerden, einer Radikalisierung der Arbeiter durch Kampf und Niederlage, ein Schluß, den die zeitgeschichtliche Entwicklung in Österreich bald Lügen strafte. Der Autorin ging es aber letztlich nicht um die richtige Einschätzung des historischen Moments, sondern um die grundsätzliche Fortsetzung des *Weges*, der in ihren Augen immer ein schwerer, ein Kreuzweg war. Der Roman schließt denn auch mit dem symbolischen Gang eines nach den Kämpfen Verurteilten in seine Gefängniszelle und mit den an den *Aufstand der Fischer* erinnernden Worten: *Er kennt die Seinen und die Seinen kennen ihn.*[162] Für den Gefangenen, der sich bis dahin verachtet und nutzlos gefühlt hat, führen, wie für so viele Figuren der Seghers, Einsatz und Opfer zu Selbstfindung und, stets eng damit verknüpft, Zugehörigkeitsgefühl.

Das kann ich immer noch nicht verstehen mit Deutschland[163], sagt einer der Charaktere am Beginn von *Der Weg durch den Februar*. Anna Seghers kehrte mit ihrem nächsten Roman *Die Rettung*, der 1937 wieder im Querido-Verlag erschien, zu dieser, ihrer eigenen Bestürzung zurück und suchte in einer Analyse der *Epoche, die wir alle als «Krise» in böser Erinnerung haben*[164], und in der Klasse, die für sie die wichtige, zukunftstragende war, im Proletariat, nach Antworten – und nach Hoffnung. Sie wählte dafür eine für sie neue, im Vergleich zu ihren früheren Büchern

Schutzbund-Truppen in Österreich

traditionelle Romanstruktur mit Haupthandlung und darauf bezogenen Nebenhandlungen. Im Mittelpunkt des Geschehens steht diesmal – als Repräsentant der etablierten deutschen Arbeiterschaft – ein Mann in mittleren Jahren, Bentsch. Sein Weg führt beispielhaft vom angesehenen, politisch nicht aktiven Bergarbeiter, der bei einem Grubenunglück kraft seiner Persönlichkeit die sechs mit ihm eingeschlossenen Kumpel am Leben erhält, bis Rettung kommt, zum depressiven Arbeitslosen und schließlich in den aktiven Widerstand gegen die Nationalsozialisten.

Obwohl Seghers die Auswirkungen von Untätigkeit und Armut auf das Alltagsleben der Hauer, vor allem auch auf Frauen und Kinder, sehr genau zeichnet (um das Milieu besser kennenzulernen, war sie, da sie nicht nach Deutschland konnte, in das belgische Kohlengebiet, die Borinage, gefahren), geht es jedoch nicht um Arbeitslosigkeit allein. Die ist nur greifbarster Ausdruck dafür, daß der einzelne Arbeiter in der bestehenden Gesellschaft keinen Wert und keine Selbstbestimmungsmöglichkeiten hat. Unmittelbar auf die soziale Wirklichkeit Deutschlands und den Aufstieg des Faschismus bezogen, artikuliert Seghers in *Die Rettung*, was sie auch in Reden, Aufsätzen und kürzeren Werken des frühen Exils immer wieder betont, das Bedürfnis der Menschen nach Erfüllung, nach umfassender Sinngebung, das die Kommunisten nicht genug angesprochen, die Nationalsozialisten aber voll ausgenützt hatten.

Dieses – nach Seghers' Meinung entscheidende – Versagen wird im Roman an der Gestalt des kommunistischen Funktionärs Albert veranschaulicht. Von seinen Augen heißt es, daß sie *erstaunlich klar, wirklich ganz ohne Lügen, aber auch ganz ohne Träume*[165] sind. Daher versteht er nichts von der *hohlen Stelle*[166] – auch Ernst Bloch sprach von den «Hohlräumen» der Übergangszeit –, die, wie Seghers zeigt, die Menschen anfällig für den Faschismus macht, aber auch den Ansatzpunkt für das Neue bietet. *All das Falsche von den Nazis ist viel leichter als unser Richtiges*, läßt die Autorin einen sensibleren jungen Kommunisten sagen. *Ich kann begreifen, daß es da viele hinzieht. Deutschland, das ist doch etwas, was du unter den Füßen hast... Deshalb müßten wir doch das Glück, unser wirkliches Glück, das dahintersteht, hinter all dem Schweren, wo wir durchmüssen, dieses Glück müßten wir doch ganz unwiderstehlich zeigen.*[167] Seghers legt hier ihrer Figur Gedanken in den Mund, die sie selbst gleichzeitig in einem Aufruf von 1936 als Forderung an sich und ihre Kollegen und Genossen ausspricht: *Jener Lüge von der totalen Mobilmachung des Geistes und des Körpers, mit der die Jugend der faschistischen Länder für den Krieg gelockt wird, müssen wir unsere Wahrheit entgegenhalten, unsere totale Mobilmachung des Geistes und des Körpers für die Veränderung dieser Gesellschaftsordnung... Aber wir müssen lernen, unsere Wahrheit mächtiger und verlockender zu zeigen als die anderen ihre Lügen.*[168]

Und habt ihr denn etwa keine Träume, wilde und zarte, im Schlaf zwischen zwei harten Tagen? Und wißt ihr vielleicht, warum zuweilen ein altes Märchen, ein kleines Lied, ja nur der Takt eines Liedes gar mühelos in die Herzen eindringt, an denen wir unsere Fäuste blutig klopfen? Ja, mühelos rührt der Pfiff eines Vogels an den Grund des Herzens und dadurch auch an die Wurzeln der Handlungen[169], schrieb Seghers als Motto über *Die schönsten Sagen vom Räuber Woynok*, die 1936 entstanden und 1938 im Juni-Heft von «Das Wort» erschienen, also im Kontext der Zeit, noch vor den Briefen an Lukács, einen künstlerischen Beitrag zur Expressionismus/Realismus-Debatte darstellten. Ihre Bemühungen um eine *starke, vielfältige, antifaschistische Kunst*[170] veranlaßten die Autorin in diesen Jahren, ihr frühes Interesse für Sage, Mythos und Märchen sehr selbstbewußt einzusetzen, zumal sie damit unter den Exil-Schriftstellern keineswegs allein stand. Andere Marxisten beschäftigten sich ebenfalls mit diesen Teilen des Erbes, unter anderen Brecht und Bloch, der schon in seiner Kongreß-Rede von 1935, «Marxismus und Dichtung», die Wichtigkeit der Phantasie betont hatte. Bereits in *Die Rettung* griff Seghers wieder verstärkt zu Märchenmotiven, um die affektive Wirkung ihres Romans zu erhöhen, vor allem im Zusammenhang mit Katharina, einer rührenden Gestalt, die Walter Benjamin in seiner schönen Rezension des Buches mit Melusine verglich.[171] Auch die *Sagen von Artemis*, die im September 1937 in «Internationale Literatur» herauskamen, standen in diesem Kontext. 1939 folgte die phantastische Geschichte *Reise ins Elfte Reich*, ein Emigrantenwunschtraum, und 1940 der kurze legendenartige Text *Die drei Bäume*. 1938 sprach Seghers sogar von einem *alten*

Lieblingsplan ... nämlich einer Art «Tausend und Eine Nacht» für unsere Zeit [172]. Wichtig ist die Nachbemerkung *für unsere Zeit*, weil sie verdeutlicht, daß für Seghers das im weitesten Sinne Phantastische stets Bezug zur gegenwärtigen Realität hatte.

Die schönsten Sagen vom Räuber Woynok – die Brecht sehr schätzte – spielen in denselben Wäldern Bulgariens, in denen der Revolutionär Dudoff aus den *Gefährten* zu Hause ist. Sie nehmen, nun zur populären Sage ohne jeden politischen Inhalt vereinfacht und verdichtet, ein Grundthema von Anna Seghers auf: das Weiterbestehen des einzelnen durch Kunst, die das Wesentliche eines Lebens für die Gemeinschaft bewahrt und interpretiert. Auch die *Sagen von Artemis* behandeln in scheinbar spielerischer Form eine das ganze Werk durchziehende Thematik, die Begegnung der Menschen mit dem für sie Besonderen, das Leben Verändernden. *Im Grunde genommen stellen meine Romane, stellt das meiste, was ich geschrieben habe, eine Art von Verwandlung dar* [173], sagt Seghers selbst dazu. In voller Übereinstimmung mit dem Zivilisations- und Fortschrittsglauben ihrer Partei, der nach dem Krieg katastrophale Folgen für die DDR und andere Länder des Ostens haben sollte, bejaht sie aber auch die radikale Veränderung der Natur und läßt ihre Göttin der Jagd und der wilden Tiere das Abholzen der Wälder, das sie selbst zum Verschwinden bringt, verteidigen.

Wunderbares spielt in zwei kleinen Hörspielen, die der flämische Rundfunk – für den Seghers damals arbeitete, um etwas Geld zu verdienen – 1937 und 1938 sendete, ebenfalls eine wichtige Rolle. Das erste, *Der Prozeß der Jeanne d'Arc zu Rouen 1431*, nimmt den damals für die deutschen Exilierten besonders relevanten Nationalmythos der Franzosen auf, den auch Brecht in «Die Gesichte der Simone Machard» und Feuchtwanger in «Simone» behandelten. Im Gegensatz zu ihnen hält sich Seghers an die ursprünglichen Akten, akzentuiert jedoch sehr deutlich, was ihr daran wichtig ist: Johanna, die das Frausein trotz der Männerkleider keineswegs leugnet, hält unter den Fragen, Belehrungen und Drohungen der mächtigen und gelehrten Richter unbeirrbar fest an ihren *Stimmen*, aus denen das durch Ausbeutung und Fremdherrschaft unterdrückte Volk spricht. Die Jungfrau als Widerstandskämpferin ist die Avantgarde des Volkes, während die Männer, dem System fester verhaftet, nicht nur die Richter, sondern auch die Bewacher und den Henker stellen.

Seghers wählte mit dem *Prozeß* ein einziges Mal einen Stoff, in dem eine Frau die Rolle des Kämpfers und Märtyrers spielt, die sonst den Männern vorbehalten ist. Dennoch fällt diese Gestalt im Exilwerk nicht ganz aus dem Rahmen. Sie stellt lediglich ein besonders deutliches Beispiel für das differenziertere Frauenbild dar, das Seghers nun entwickelt. So zeigt die kleine Erzählung *Der Vertrauensposten*, die aus derselben Zeit stammt, aber erst kürzlich in Brechts Nachlaß aufgefunden wurde, motivische und thematische Ähnlichkeiten mit dem *Prozeß*, obwohl der

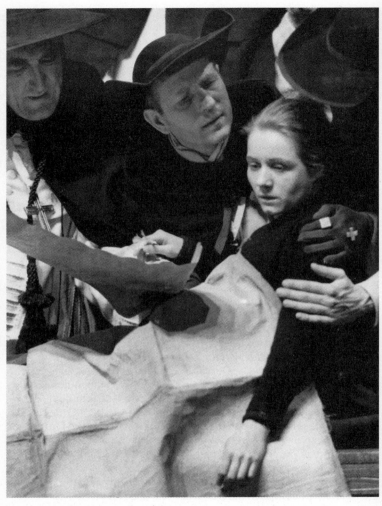

Szene aus der Aufführung von «Prozeß der Jeanne d'Arc» am
Berliner Ensemble 1952, in der Bühnen-Bearbeitung Bertolt Brechts

Stoff aus einem ganz anderen, zeitgenössischen Bereich kommt. Und
auch in der Erzählung *Das Obdach*, die etwas später (1941) entstand,
steht eine mutige, tatkräftige Frau, Madame Meunier, im Mittelpunkt,
die, gerade weil sie auf ihre Mütterlichkeit hört, schneller als ihr ur-

sprünglich politisch aktiver Mann die wahren Verhältnisse nach der Besetzung Frankreichs durchschaut.

Man hat Anna Seghers vielfach einen «männlichen Blick» vorgeworfen[174], der auf der Identifikation der Autorin zunächst mit ihren männlichen Aufrührertypen und dann mit der in vielem patriarchalischen Perspektive ihrer Genossen beruhte. Dieser Blick veränderte sich unter den schwierigen, persönlich wie historisch neuartigen Bedingungen des Exils etwas. Seghers sprach Frauen nun einen höheren gesellschaftlichen Stellenwert zu, der mit einer allgemeinen Verlagerung des politischen Schwerpunkts vom proletarisch-revolutionären Kampf auf Widerstand gegen den Faschismus zusammenhing. Der Alltag, den sie – wie die Expressionisten – früher oft als schal präsentiert hatte, wurde jetzt aufgewertet. Schon in *Die Rettung* hieß es: *Das gewöhnliche Licht des gewöhnlichen Lebens, das teuerste, kostbarste Licht strömte über die Küche...*[175] Die Frau, die traditionell fest im Häuslichen und damit im Alltäglichen verwurzelt ist – daran ändert die Autorin grundsätzlich nichts –, gewinnt mit dem Konzept des *gewöhnlichen Lebens* an Bedeutung. Als Bewahrende, Hegende ist sie nicht mehr Hemmschuh, sondern wesentlicher Rückhalt. Eine Serie von Skizzen *Frauen und Kinder in der Emigration*, die erst kürzlich wieder aufgefunden und veröffentlicht wurde, macht diese Veränderung besonders deutlich. Offensichtlich eigene Erfahrungen und Verhaltensweisen miteinbeziehend, sie aber in ein proletarisches Milieu verlegend, beschreibt Seghers darin Bemühungen um etwas Häuslichkeit durchaus positiv. Die Exilierte beweist sich als *die Frau von*

Anna Seghers in Paris

Schauprozeß in Moskau

Kriegszügen, von Verbannungen, von Völkerwanderungen. Sie wird vor
den ungewöhnlichsten Augenblick gestellt, auf daß sie ihn zwinge, die
Züge gewöhnlichen Lebens anzunehmen, damit man ihn ertragen kann.[176]
   Neben der äußerst regen künstlerischen Produktion des frühen Exils
steht eine ebenfalls sehr aktive Publizistik, wobei das Ineinandergreifen
beider Arbeitsformen, bis zur Wiederholung oder Variation in den Formulierungen, in jenen Jahren besonders stark war. Seghers nahm zu wichtigen, die Exilierten beschäftigenden Fragen und Ereignissen Stellung
und beteiligte sich an Aktionen und Kongressen. Als im Juli 1937 der II.
Internationale Schriftstellerkongreß zur Verteidigung der Kultur in Madrid inmitten des Spanischen Bürgerkriegs abgehalten wurde, war Seghers mit großer Begeisterung dabei, da sie den von ihr so bewunderten

spanischen Freiheitskampf durch ihre und die Anwesenheit vieler anderer Schriftsteller *demonstrativ* unterstützen wollte.

Anläßlich des 20. Jahrestags der Oktober-Revolution verfaßte sie aber auch einen Gruß an die Sowjetunion, der trotz der 1936 mit großer Wucht einsetzenden Schauprozesse und Säuberungen von *unsrem klaren, vorbehaltlosen Ja* [177] sprach. Obwohl Seghers mit ihren Kontakten in der Sowjetunion mehr wissen mußte als andere über unerklärtes Verschwinden und plötzliche Verhaftungen, denen auch viele der deutschen, zum Großteil kommunistischen Emigranten zum Opfer fielen, äußerte sie keine Zweifel an den offiziellen Erklärungen der Partei, die von berechtigten Maßnahmen gegen «Verrat» und «faschistische Infiltration» sprachen. Ihre aus Glauben und Pragmatismus gemischte Loyalität zu dem Land, das seinen Antifaschismus soeben durch die Unterstützung der spanischen Republikaner unter Beweis stellte, blieb fest. Während Brecht damals brieflich vergeblich versuchte, Bekannten zu helfen, wissen wir von Seghers nichts Vergleichbares.

Erst viele Jahre später, 1957, hat sie die Heimkehr eines der damaligen Opfer, der Autorin Trude Richter, in die DDR erwirkt. [178]

So wichtig Seghers ihre Publizistik nahm, sie bestand angesichts der Zweifel vieler Exilierter an den Möglichkeiten und dem Wert von Literatur darauf, daß die Schriftsteller nicht *bei Bekenntnissen und Gelöbnissen stehenbleiben* durften, wie *aufrichtig oder großartig* die auch waren. Es kam jetzt *erst recht* darauf an, Kunst zu machen. Darin lag der wichtigste Beitrag, den die Schriftsteller zu den Kämpfen der Zeit leisten konnten, selbst wenn diese Zeit, wie Seghers einräumte, *aus dem scheinbar verwickelten und dunklen Prozeß, der sich zwischen Gesellschaft und Kunstwerk abspielte, einen Kurzschluß gemacht* habe. Das Fazit war und blieb: *Und jetzt muß man arbeiten.* [179]

«Das siebte Kreuz» und «Transit»

Ich werde einen kleinen Roman beenden, etwa 200 bis 300 Seiten, nach einer Begebenheit, die sich vor kurzem in Deutschland zutrug. Eine Fabel also, die Gelegenheit gibt, durch die Schicksale eines einzelnen Mannes sehr viele Schichten des faschistischen Deutschlands kennenzulernen. Dieses Buch darf und wird nicht allzu lang dauern[180], schreibt Seghers in einem Brief vom 23. September 1938 an Iwan Anissimow, den Leiter des Staatsverlags für ausländische Literatur in der Sowjetunion, wo sie – wie in anderen nichtfaschistischen Ländern – Veröffentlichungsmöglichkeiten und Verdienst suchte und bis zum Nichtangriffspakt zwischen Hitler und Stalin auch häufig fand. Sie spricht von ihrem Roman *Das siebte Kreuz*, den sie eigenen Angaben zufolge *zwei Jahre vor dem Krieg* begann, und *als er ausbrach*, abschloß.[181] Nach Erscheinen des Buchs 1942, zuerst in englischer Übersetzung in den USA, wurde es schnell zum Bestseller. 1944 machte Hollywood einen Film mit Spencer Tracy in der Hauptrolle daraus. *Das siebte Kreuz* blieb durch die Jahre das berühmteste und erfolgreichste Werk der Seghers, zu dem auch sie selbst wiederholt zurückkehrte, um Figuren oder Episoden aufzunehmen und in kleineren Prosatexten weiterzuentwickeln, so in *Die Saboteure, Das Ende* und *Vierzig Jahre der Margarete Wolf*.

Der Roman erzählt in sieben auf sieben Tage verteilten Kapiteln von der erfolgreichen Flucht des Häftlings Georg Heisler aus dem Konzentrationslager Westhofen, das Seghers in ihrer Heimat, der Rhein-Main-Gegend, ansiedelt.[182] Sechs andere Häftlinge, die mit Georg ausbrechen, werden zu Tode gejagt oder wieder eingefangen und an gekuppte Platanen gestellt: *In Schulterhöhe waren gegen die Stämme Querbalken genagelt, so daß die Platanen von weitem sieben Kreuzen glichen.*[183] Da das siebte Kreuz jedoch leer bleibt, verwandelt es sich für die Insassen des Lagers – und für den Leser – in ein Symbol des Widerstandes: *Ein kleiner Triumph, gewiß… Und doch ein Triumph, der einen die Kraft plötzlich fühlen ließ nach wer weiß wie langer Zeit, jene Kraft, die lang genug taxiert worden war, sogar von uns selbst, als sei sie bloß eine der vielen gewöhnlichen Kräfte der Erde… wo sie doch die einzige Kraft ist, die plötzlich ins Maßlose wachsen kann, ins Unberechenbare*[184], resümiert der anonyme Erzähler.

Szenen aus Fred Zinnemanns Verfilmung von «Das siebte Kreuz», 1944:
Einer der entflohenen KZ-Häftlinge wird am Kreuz aufgehängt

Georg Heisler (Spencer Tracy, links) sucht Hilfe bei seinem Schulkameraden
Paul Röder und dessen Frau Liesel

Die Sieben ist denn auch eine magische Zahl, die Seghers wie viele andere mythische, religiöse und märchenhafte Bezüge einsetzt, um im aktuellen Zeitgeschehen die zeitlosen menschlichen Bedürfnisse und Hoffnungen durchscheinen zu lassen und die Aussagekraft alter, mächtiger Vorstellungswelten für ihre Botschaft zu aktivieren. So erinnern die sieben Fluchttage an den Schöpfungsmythos in der Bibel, indem sie die Scheidung des Lichts «von der Finsternis» an Nazi-Deutschland nachvollziehen. Alle, die dem Flüchtling unter Einsatz ihres Lebens weiterhelfen, tragen bei zur Schaffung einer menschenwürdigen Welt und trennen sich definitiv von jeder, manchmal nur aus Vorsicht oder Gleichgültigkeit bestehenden Verkettung mit dem Regime, der Finsternis. Erst dadurch beginnen sie selbst wirklich zu leben.[185]

In Seghers' Anverwandlung jüdisch-christlicher Tradition ist der Schöpfer jedoch kein allmächtiger Gott, sondern eine Vielzahl von bedrohten, anscheinend ohnmächtigen Menschen, die ihre Kraft erst durch Handeln entdecken. Diese auf Aktion und Eigenverantwortlichkeit gerichtete Umkehrung religiöser Vorstellungen betrifft auch die Kreuz-Symbolik des Romans. Die Macht des siebten Kreuzes kommt gerade daher, daß es auf Grund größter menschlicher Anstrengungen leer bleibt.

Wer die Nazis ablehnt – schon die geringfügigste oppositionelle Handlung hat in Seghers' von Anspruch und Hoffnung getragener Darstellung persönlichkeitsfestigende und gemeinschaftsstiftende Kraft –, gehört zum echten Volk und repräsentiert das wahre Deutschland, das die Autorin seit ihrem Kongreß-Beitrag *Vaterlandsliebe* in ihren Aufsätzen und Reden beschwört. *Deutschland ist unser Land ... überlassen wir nicht dem Feind, dem Faschismus, die Darstellung, die Auslegung unserer Geschichte ... jeder Quadratmeter unsres Landes* zeugt *von der Begabung, von der Arbeitskraft, von dem Widerstand seines Volkes*[186], erinnert sie auch 1941. Es ist Aufgabe der Exilschriftsteller, von diesem deutschen Volk zu erzählen: *Was hat unsere Freiheit für einen Sinn*, fragt sie, *wenn wir nicht immer wieder die Namenlosen nennen, wir, die wir reden und schreiben können.*[187]

Der Roman soll ein *Gesamtbild*[188] des *deutschen Volkes* geben und den Begriff *Vaterland*[189] vom Standpunkt der Antifaschisten positiv und sozial besetzen, denn, so warnte Seghers, die sich selbst erst im Exil auf diese für viele – besonders linke – Exilierte dann wichtige Problematik besann: *Auf jeden Irrtum in der Einschätzung der nationalen Frage reagieren die Massen unerbittlich.*[190] Sie tat das, indem sie ihre engere Heimat um Mainz nicht nur als Landschafts- und Kulturraum in eindrucksvollen Bildern evozierte, sondern den Alltag der Menschen darin zeigte. Seghers suchte in diesem Alltag nicht mehr – wie im *Kopflohn* und in der *Rettung* – vornehmlich nach Ansatzpunkten für den Faschismus, sondern fragte darin nach dem *eisernen Bestand*[191], der *gesichtslosen, unabschätzbaren Macht*[192] des Volkes. Wie Brecht, der damals ebenfalls im Volk den «einen Bundesgenossen» gegen die «zunehmende Barbarei» zu finden hoffte[193], erwartete sie die politische Selbstbefreiung und moralische Rettung der Deutschen von daher.

Das *Volk* im Roman umfaßt neben Arbeitern und Bauern auch Handwerker, Angestellte und sogar Zirkusartisten, es ist eine ländliche und kleinstädtische Welt. Das Hauptinteresse gilt den «gewöhnlichen» Menschen, die, scheinbar unpolitisch oder unsicher, im entscheidenden Moment das Richtige tun, das heißt dem Flüchtling helfen. Treue Kommunisten spielen als Funktionäre, wie Reinhard und Hermann, die Paß und Geld für die Flucht beschaffen, und als Lehrer, wie Wallau, eine wichtige Rolle, bleiben aber im Hintergrund. Andere politische Parteien kommen im Roman überhaupt nicht vor.

Seghers suchte eine Wirklichkeit zu vermitteln, die sie nicht mehr aus eigener Anschauung kannte. Sie hatte sich stets sowohl auf die Macht der künstlerischen Phantasie als auch auf die Unerläßlichkeit genauer *Kenntnisse*[194] verlassen und war sich des Problems bewußt. Gezielt sammelte sie Material über deutsche Antifaschisten[195] und las Bücher, die bereits über das Dritte Reich und seine Konzentrationslager erschienen waren, wie Hans Beimlers «Mörderlager Dachau» (1933), Gerhart Segers «Oranienburg» (1934) und wahrscheinlich Bredels «Die Prüfung» (1934) und Langhoffs «Moorsoldaten» (1935). Sie hörte Augenzeugenberichte und sprach mit *Flüchtlingen aus Konzentrationslagern*, zum Beispiel mit Beimler, den sie sehr schätzte und der bald darauf im Spanischen Bürgerkrieg fiel. Auch *die Sache mit dem siebten Kreuz* erinnert sich Seghers gehört zu haben: *Es wurde mir von einem ehemaligen Häftling erzählt,*

Das KZ Osthofen (in der Nähe von Mainz), dessen Name Anregung war für das Lager Westhofen im «Siebten Kreuz»

daß sein Lagerkommandant auf diese Idee gekommen war.[196] Außerdem war sie mit vielen *Menschen meiner Heimatstadt* vertraut und konnte sich, so erklärt sie, *gut vorstellen, wie die in einer gewissen Situation leben, wie sie unter gewissen Bedingungen reagieren würden*[197].

Um die Glaubwürdigkeit ihres Romans zu verbürgen, baute Seghers aber nicht nur auf dokumentarisches Material, auf Erinnerung und auf Vorstellungsgabe, sie wählte auch eine Erzählstrategie, die eine verläßlichere Autorität als die eigene berief. Erzähler ist zunächst ein Mithäftling Georgs, der in einem Rahmen rückblickend von den Ereignissen im Konzentrationslager und von der Wirkung der Flucht auf die Insassen von Westhofen berichtet. Er spricht stets in der Wir-Form, im Namen der Gefangenen. Für die Binnenhandlung, den Verlauf der Flucht, greift Seghers, wie in ihren früheren Romanen, zu einer häufig wechselnden Figurenperspektive. Sie verwendet aber diesmal auch den Kommentar eines allwissenden Erzählers, in den die Stimme des Häftlings einzugehen scheint. Erzählstandpunkt ist letztlich der einer Gemeinschaft, jener *Namenlosen*, von denen Seghers in ihren Aufsätzen spricht, und besonders der *toten und lebenden Antifaschisten Deutschlands*, denen der Roman gewidmet ist. Um größtmögliche Authentizität und direkten Appell an den Leser zu erreichen, suggeriert Seghers also, daß das Deutschland, das sie dem nazistischen entgegenstellt, für sich selbst spricht.

Auch auf der Ebene der Fabel, durch eine außergewöhnlich spannend gestaltete Handlung, bemühte sie sich um starke Einbeziehung ihrer Leser. Sie suchte auf diese Weise die allgemein wachsende Unsicherheit und Distanz der Exilschriftsteller gegenüber einem Publikum zu überwinden, von dem man immer weniger wußte, ob und wo es existierte. Alle Leser, wo immer sie waren, sollten das Deutschland, das sie zeichnete, gefühlsmäßig verstehen und die Möglichkeit und unbedingte Notwendigkeit des Widerstands einsehen. Unumwunden warb Seghers denn auch 1940 in einem Brief an den Freund und Verleger Wieland Herzfelde für ihren Roman: *Ich brauche Dir jetzt nicht mehr zu erzählen, warum ich gerade an diesem Buch sehr hänge als Thema und als Arbeit, weil ich will, daß sowohl ich in diesem Buch einen bestimmten Grad meines Könnens zeigen kann, und weil ich will, daß eine bestimmte Phase unserer Geschichte darin gezeigt werde.*[198]

In der Tat gelang es Seghers, thematisches Anliegen und erzählerisches Können in bisher in ihren Werken unerreichter Weise zu verbinden. Sie selbst hob immer wieder die wichtige Rolle der Fabel dabei hervor und verwies auf *den italienischen klassischen Roman «Die Verlobten»* von Alessandro Manzoni, auf den man sie in Spanien aufmerksam gemacht habe, als Modell. *Es wird nämlich in diesem Roman an einem Ereignis die ganze Struktur eines Volkes aufgerollt, und da hab ich mir gedacht, diese Flucht ist das Ereignis, an dem ich die Struktur des Volkes aufrollen kann.*[199] So abstrakt das klingen mag, die Leistung des Romans besteht gerade

Wieland Herzfelde (links) mit seinem Bruder John Heartfield

darin, daß diese *Struktur* erzählerisch umgesetzt wird in eine Montage zahlloser Einzelszenen, die, jede für sich interessant und spannend, eine breite Skala von Verhaltensweisen gegenüber dem Hitler-Regime vorführen und gleichzeitig, miteinander scheinbar lässig synchronisiert, das Fluchtgeschehen vorantreiben, retardieren oder kommentieren. Letzteres geschieht, an entgegengesetzten Polen, einmal durch die bäuerliche Welt der Marnets, die – ganz anders als in *Kopflohn* – von den Zeitereignissen abgehoben und zur Idylle stilisiert wird, um das Alltagsleben, das die historischen Katastrophen überdauern und Menschlichkeit bewahren kann, in zeitlosen Grundformen aufzuzeigen: ... *überhaupt ist es schwer, in Marnets Küche Schauder zu verbreiten. Selbst wenn die vier Reiter der Apokalypse an diesem Apfelkuchen-Sonntag vorbeigestoben kämen, sie würden ihre vier Pferde an den Gartenzaun binden und sich drin wie vernünftige Gäste benehmen*[200], heißt es über diese Welt. Am anderen Ende steht das Konzentrationslager, extremster Ausdruck aktuellen Zeitgeschehens, fern jeden Alltags und bar jeder Menschlichkeit, aber – so deutet die Gegenüberstellung an – vergänglich wie andere Schrecken der Geschichte auch. Freilich, diese Vergänglichkeit hängt im historischen Augenblick vom Mut einzelner Menschen ab. *Jetzt sind wir hier. Was jetzt geschieht, geschieht uns*[201], beschließt Seghers das bereits zitierte großangelegte Panorama von Landschaft und Geschichte des Rheins in ihrer Heimatgegend, das sie an den Beginn des *Siebten Kreuzes* stellt. Die Vogelperspektive auf die zyklische Wiederkehr des Gleichen im Alltag, die abgewandelt in *Transit* wiederkehrt, vermittelt Hoffnung, aber nur wenn Individuen, aus der Nähe betrachtet, ihre Humanität immer wieder unter Beweis stellen. Denn in der Beschreibung des Konzentrationslagers ist durch symbolische Bezüge zu Hölle und Unterwelt die Möglichkeit von einem Andauern des Schreckens und der Leere durchaus mitangelegt.

Sehr gern möchte ich über das «gewöhnliche Leben» schreiben. In diesem Zusammenhang will ich versuchen, etwas abzuhandeln, was bisher noch niemand versucht hat[202], berichtete Seghers im März 1939 an Becher in Moskau, der selbst gerade an seinem autobiographischen Roman «Abschied» schrieb und mit dem «Gefährlich leben!» des Expressionismus abrechnete.[203] Sie sprach über ein *publizistisches* Projekt, das sie wie mehrere andere Pläne dieser Jahre [204] nicht verwirklichte, wohl weil Krieg und erneute Flucht sie hinderten, aber vielleicht auch, weil sie schließlich meinte, diese Thematik bereits mit dem *Siebten Kreuz* und dann später mit *Transit* erzählerisch ausreichend behandelt zu haben.

Durch das gesamte *Siebte Kreuz* zieht sich jedenfalls die Dialektik von *gewöhnlichem* und *gefährlichem Leben*, die Seghers während des Exils in Frankreich entwickelte. Sie verstand die Faszination des *«gefährlichen Lebens»*, das die Faschisten – und Autoren wie Ernst Jünger und Edwin Erich Dwinger – mit kämpferischer Aggression und Krieg versprachen, sehr gut: *Es ist nicht mehr, daß der Krieg nur droht, er verlockt auch. Der Mensch an der Stempelstelle, am laufenden Band, im Arbeitsdienstlager ist ein Niemand. Der dem Tod konfrontierte Mensch scheint wieder alles*[205], sagte sie bereits 1935. Dagegen setzte sie ihre aus der Exilerfahrung geborene Einsicht in den Wert des *gewöhnlichen Lebens. Macht und Glanz des gewöhnlichen Lebens, wie hat er es früher verachtet*[206], heißt es von Georg Heisler, dem dieser Glanz auf seiner Flucht schmerzlich bewußt wird. Die Worte beziehen sich aber auch auf die Autorin, die die eigene

Ankündigung der Comic Strip-Version des «Siebten Kreuzes», die Ende 1942 in US-amerikanischen Zeitungen erschien. Illustrator war William Sharp

Ablehnung des bürgerlichen Alltags ja auf ihre jugendlichen Rebellen übertragen hatte. Georg – und bis zu einem gewissen Grad Seghers selbst – sind jedoch weiterhin gezwungen, ein *gefährliches Leben* zu führen. Der Wert dieses Lebens und der Unterschied zur faschistischen Variante sollte nun unmißverständlich klar werden, das richtige *gefährliche Leben* mußte in direkte Beziehung zum *gewöhnlichen* gesetzt werden. In einem kurzen, 1938 während der Arbeit am Roman entstandenen Aufsatz *Zum Kongreß* schreibt Seghers: *Einer Jugend, die der Faschismus daran gewöhnt hat, vom «gefährlichen Leben» zu träumen, müssen wir eine von Grund auf andere Konzeption des Lebens bieten: eine Wahrheit, die weit verführerischer ist als die Lüge, das Aufsichnehmen von Gefahren für die Wahrheit. Statt dem «gefährlichen Leben», wie es von den Jünger und Dwinger besungen wurde, jenes andere, das gelebt wurde von Mühsam und Ossietzky.*[207] Jenes andere hat seine Wurzel nicht in der Sehnsucht nach dem Tod, sondern in der Liebe zum Leben.

Das veranschaulicht die Autorin im *Siebten Kreuz* vor allem an Franz Marnet und Paul Röder, den Freunden Georgs, die sie ihm als Kontrastfiguren zur Seite stellt. Beide sind – anders als die schwierigen jungen Helden der Seghers, zu denen ja auch Georg ursprünglich gehört – in ihrem Alltag zu Hause und glücklich. Beide, besonders den unpolitischen Paul Röder, der – zusammen mit seiner Frau Liesel – dem Flüchtling entscheidende Hilfe gewährt, läßt die Erzählerin dieses Glück aufs Spiel setzen. Denn, so sucht sie an ihnen zu zeigen, nur die Bereitschaft, das *gewöhnliche Leben* zu verteidigen, indem man im Notfall ein *gefährliches* auf sich nimmt, verleiht dem Alltag seine Macht und regenerative Kraft.

Seghers konzentrierte sich im *Siebten Kreuz* auf Deutschland und seinen Alltag unterm Hakenkreuz, situierte aber durch Hinweise auf Ereignisse außerhalb – häufig auf den Spanischen Bürgerkrieg und einmal auf das Eindringen japanischer Truppen in China – das Geschehen nicht nur zeitlich (auf Oktober 1937), sondern vor allem weltpolitisch. Deutschland ist kein vereinzelter Fall. Auch die Erwähnung von tatsächlich *gelungenen Fluchten, Beimler aus Dachau, Seeger* [sic] *aus Oranienburg*[208], unterstreicht die Nähe zur zeitgenössischen Wirklichkeit und beglaubigt die Fiktion vom *eisernen Bestand* an Menschlichkeit und Widerstandskraft. Dafür gibt es keine Grenzen, wie Seghers damit andeutet, daß der letzte in der langen Kette der Fluchthelfer ein holländischer Schiffer ist. Dieser *aufrechte Mann*[209] weist voraus auf die Solidarität, die dem namenlosen Erzähler von *Transit*, in mancher Hinsicht eine Weiterführung von Georg Heisler, in Frankreich begegnen wird, aber auch auf das mit der Machtausbreitung Hitlers wachsende Bedürfnis der deutschen Flüchtlinge nach internationaler Unterstützung.

Als Seghers ihren Roman im Spätsommer 1939 mit großer Kraftanstrengung abschloß[210], verschlechterte sich die internationale Situation und damit ihre Lage rapide. Am 23. August 1939 schlossen Hitler und Stalin den Nichtangriffspakt und erschütterten damit auch Seghers' Weltbild. Sie erklärte zwar später: *Wir hatten ihn* (den *Überfall* Nazideutschlands auf die UdSSR und den folgenden *Kampf zwischen zwei Welten*) *vorausgesehen, trotz des Nichtangriffspakts*[211], und verteidigte den Pakt in ihrer Nachkriegserzählung *Die Kastanien*, zunächst aber war sie desorientiert und fühlte sich verlassen. *Man ist manchmal schrecklich allein*[212], heißt es in einem Brief aus der Zeit. Die ersten Kapitel von *Das siebte Kreuz*, das ganz im Zeichen der Volksfront stand, waren noch in Bechers Zeitschrift «Internationale Literatur» in Moskau erschienen, die Veröffentlichung wurde nun abgebrochen. Verunsichert fragte Seghers Freunde: *Ihr wißt besser als ich, ob es Sinn hat, den Roman Johannes zu zeigen. Existiert seine Zeitschrift noch?*[213] Sie richtete ihre Bemühungen um eine Publikation des Romans, die sie während der nächsten schwierigen Jahre unbeirrt und *zäh*[214] betrieb, jedoch auf den Westen, besonders auf die USA.[215]

Seghers verlor nicht nur ihren Rückhalt in Moskau. Auch die relative Sicherheit, die die Exilierten in Frankreich genossen hatten, ging schnell zu Ende. Im September 1939 griffen die Deutschen Polen an, Frankreich und England erklärten Deutschland daraufhin den Krieg. Seghers hatte berechtigte Angst vor der Zukunft und wandte sich jetzt mit größter Dringlichkeit an Freunde, vor allem an Franz Carl Weiskopf und Wieland Herzfelde, die in den USA Zuflucht gefunden hatten. Noch am Tag des Überfalls der deutschen Truppen auf Polen schrieb sie an Herzfelde: *Wir sind alle in keiner besonders reizenden Lage, ich schon gar nicht… es geht mir furchtbar schlecht. Man merkt es bei mir nicht so, denn ich kann nicht in Sack und Asche gehn und jammern, aber es geht mir so, daß jede Beendigung der Arbeit nur mit einem wirklichen Kräfteverlust, mit einem solchen Verbrauch von sog. Lebenssubstanz möglich ist, daß ich immer fürchte, meine ganze Arbeit ist gefährdet. Wenn Du da drüben jemand finden könntest, der mir hilft! Dadurch, daß ich – zum Glück auch – Kinder habe, ist alles doppelt schwer. Aber alle kriegen, alle, aus Amerika geholfen, vielleicht war es doch ein Fehler von mir, daß ich nicht rechtzeitig und nachdrücklich um Hilfe gedrungen habe. Wenn Du auf Menschen stößt, die da helfen können, dann mach was. Ich war ohnehin schon müd. Wie es jetzt weitergeht, wo ich von allen Möglichkeiten ziemlich abgeschnitten bin, ist mir noch ein Rätsel.*[216] Ein paar Monate später bekannte sie offen: *Ich finde hier keinen Ausweg mehr, und ich habe große Lust, zu euch zu kommen.*[217] Sie wollte in die USA.

Seit Kriegsausbruch lag die Verantwortung für das Überleben und die Zukunft ihrer Familie ganz in Seghers' Händen. Ihr Mann war zusammen mit in Frankreich lebenden Deutschen und anderen verdächtigen Ausländern interniert und in das Konzentrationslager Le Vernet im Süden des Landes verbracht worden. Als die deutsche Armee im Juni 1940 vor Paris stand, nahm Seghers mit ihren Kindern an dem riesigen Flüchtlingsstrom der Franzosen aus der Stadt teil. Das Chaos und die Schrecken dieses Exodus hinterließen einen tiefen Eindruck und gingen in ihre Werke ein, besonders in den Roman *Transit*.[218] Bald sah Seghers aber, daß die Flucht *sinnlos* war, und kehrte nach Paris zurück. *Zum Glück nicht in die eigene ehemalige Wohnung, denn die wurde durch die Gestapo und die Vichy-Polizei durchsucht.*[219] Sie brachte die Kinder getrennt von sich un-

László Radványi, der Ehemann von Anna Seghers

ter, schrieb ihre Briefe aus Vorsicht in französischer Sprache und bat ihre Freunde, nicht auf deutsch zu antworten. *In Paris lebte ich praktisch in der ständigen Nähe des Todes, ich schlief jede Nacht woanders*[220], erinnerte sie sich in einem Interview in Mexiko mit für sie ungewöhnlich melodramatischen Worten. Die Bedrohung war aber sehr real, ihre Freundin Lore Wolf wurde damals verhaftet.

Mit der deutschen Besetzung des Nordens von Frankreich und einer nazifreundlichen Vichy-Regierung im Süden erhielt die Flucht aus Europa, mit der sich Seghers seit Ausbruch des Krieges in Gedanken getragen hatte, verzweifelte Dringlichkeit. Ihr Mann konnte das Lager nur verlassen, wenn er ein Ausreisevisum hatte; falls er blieb, drohte ihm – wie allen, die die Gestapo anforderte – die Übergabe an die Deutschen. Zunächst hieß es, aus Paris in den etwas weniger gefährlichen Süden und in die Nähe ihres Mannes zu kommen, was ihr mit Hilfe von Jeanne Stern im September 1940 gelang. Seghers fand in Pamiers, *einer kleinen Stadt in den Pyrenäen, in der Nähe von Le Vernet*[221], Unterkunft, schrieb die Kinder in der dortigen Schule ein und *ertrug einen qualvollen Winter*[222]. Zielstrebig betrieb sie jedoch die Flucht und nahm Kontakt mit den deutschen Kommunisten auf, die sich im Juni 1940 unter Führung von Alexander Abusch in Toulouse etabliert hatten. Sie hatte noch in Paris erfahren, daß Visa für Mexiko, das unter seinem linken Präsidenten Lázaro Cárdenas vielen Kommunisten und ehemaligen Spanien-Kämpfern Asyl gewährte, für sie und ihre Familie auflagen. Auch aus den USA erhielt sie Hilfe: *Der nordamerikanische Schriftstellerverband sorgte für meine Ausreise und bezahlte mir und meiner Familie die Überfahrt.*[223] Am 24. März 1941 verließ Seghers mit Mann und Kindern auf dem Dampfer «Lemerle» Marseille, den einzigen Ort, von dem Flüchtlinge noch aus Frankreich ausreisen konnten, allerdings nur, wenn sie den Kampf gegen *die tödliche Bürokratie in jener Zeit*[224] erfolgreich bestanden hatten.

Die Überfahrt war alles andere als einfach und direkt. Die «Lemerle» war ein Frachtdampfer, das Ziel zunächst Martinique. *Männer und Frauen schliefen getrennt in den Lagerräumen des Schiffes, die mit Holzverschlägen in Schlafräume umgewandelt waren. Als wir nach ein paar Wochen in Martinique ankamen, dem westlichsten Punkt Frankreichs, den damals noch die Vichy-Regierung verwaltete, wurden wir interniert,* erzählt Seghers.[225] Nach einem Monat fand sich eine Möglichkeit zur Weiterfahrt, über Santo Domingo nach New York, wo die Radványis am 16. Juni 1941 ankamen. In Erinnerungen stellte Seghers Mexiko stets als eindeutiges Ziel – und New York als Zwischenstation – dar, sie und ihr Mann spielten aber zunächst mit der Idee, in den USA zu bleiben.[226] Sie besaßen Transitvisa, konnten jedoch dann nicht einmal die Einwandererinsel Ellis Island verlassen, weil die amerikanischen Gesundheitsbehörden der Tochter die Einreiseerlaubnis verweigerten.[227] Seghers sprach später sehr negativ von dem Aufenthalt, der eine Internierung[228] und ein *Kulturschock*[229] gewesen sei. Immerhin konnte sie Besuche empfangen und am Tag ihrer Ankunft einen Vertrag mit dem Bostoner Verlag Little Brown für die Herausgabe des *Siebten Kreuzes* in englischer Sprache unterschreiben, für die Herzfelde und Weiskopf wichtige Vermittlerdienste geleistet hatten. Auf Ellis Island erreichte Seghers auch die Nachricht, *daß Deutschland* am 22. Juni *die Sowjetunion überfallen hatte.* Sie glaubte den ersehnten Wendepunkt gekommen, die Sowjetunion kämpfte nun gegen Hitler und würde ihn *besiegen*, so meinte sie zumindest rückblickend.[230] Die Weiterfahrt jedenfalls, *über Kuba nach Veracruz* und dann *mit der Bahn nach der Stadt Mexiko,* trat Seghers mit mehr Hoffnung an, als sie die Reise begonnen hatte. Die

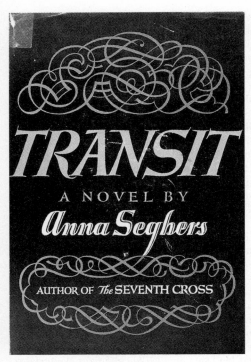

Titel der Erstausgabe, 1944

Zeit, über die sie aus San Domingo in einem Brief geschrieben hatte: *Ich habe das Gefühl, ich wäre ein Jahr lang tot gewesen* [231], war vorüber.

Vergessen allerdings war diese Zeit nicht. Fast gleichzeitig mit den gelebten Erfahrungen verarbeitete – und verfremdete – sie die Autorin zu ihrem großen Roman *Transit*, der 1944 in englischer und spanischer Übersetzung [232] und 1948 (bei Weller in Konstanz) auf deutsch erschien. Heinrich Böll nannte das Buch eines der «schönsten», das die Seghers geschrieben hat [233], und viele Kritiker halten es heute für eines der besten Werke, wenn nicht das beste über die Lage der Exilierten im faschistischen Europa von 1940/41. In der DDR, wo der Roman relativ spät – 1951 – aufgelegt wurde, stieß *Transit* auf wesentlich weniger Interesse. [234]

Mehr als mit jedem anderen ihrer Werke schrieb sich Anna Seghers mit diesem Roman von einer sie bedrängenden Wirklichkeit frei, indem sie Erlebtes in Fiktion umsetzte. *Denn abgeschlossen ist, was erzählt wird. Erst dann hat er diese Wüste für immer durch durchquert, wenn er seine Fahrt erzählt hat.* [235] Die Worte des namenlosen Erzählers von *Transit*, der damit sein eigenes Bedürfnis sich mitzuteilen begründet, gelten auch für das Verhältnis der Autorin zu dem im Roman Dargestellten. Dieser Erzähler, ein aus einem Konzentrationslager nach Frankreich entkommener deutscher Arbeiter – er hat falsche Papiere auf den Namen Seidler und wird in der Behördenwelt eine Zeitlang für den bereits toten Schriftsteller Weidel gehalten –, spricht einen Unbekannten in einer Pizzeria in Marseille an und berichtet ihm von seinem Leben seit der Flucht aus Deutschland. Erzählen als einfaches Sich-Aussprechen, wobei der Erzähler zwar Angst hat, *den anderen zu langweilen*, aber auch fragt: *Haben Sie*

sie nicht gründlich satt, diese aufregenden Berichte? Sind Sie ihrer nicht vollständig überdrüssig, dieser spannenden Erzählungen von knapp über- standener Todesgefahr, von atemloser Flucht? Ich für meinen Teil habe sie alle gründlich satt. Wenn mich heute noch etwas erregt, dann vielleicht der Bericht eines Eisendrehers, wieviel Meter Draht er schon in seinem langen Leben gedreht hat, mit welchen Werkzeugen, oder das runde Licht, an dem ein paar Kinder Schulaufgaben machen.[236]

Nicht nur der Wunsch, durch Erzählen Erfahrung zu bewältigen und zu klären, auch die Sehnsucht nach dem *gewöhnlichen Leben* ist Autorin und Figur gemeinsam. Hinter dem Erzähler verbirgt sich, in extremer, ironisierender Distanzierung, Anna Seghers selbst. Manchen Leser mag zunächst sogar befremden, mit welch spöttischer Geringschätzung die Autorin ihre Gestalt die verzweifelten Fluchtbemühungen um sich her darstellen läßt, während sie selbst ihre Ausreise zielstrebig vorantrieb. Sobald Seghers die nötigen Papiere und Schiffsplätze hatte, fuhr sie selbstverständlich mit ihrer Familie ab. Die Romanfigur aber, die sich ebenfalls Visa und Fahrkarten zu beschaffen weiß, entschließt sich, in Frankreich zu bleiben und auf dem Lande unterzutauchen: *So gibt mir denn diese Familie, gibt mir dieses Volk bis auf weiteres Obdach ... Ich will jetzt Gutes und Böses hier mit meinen Leuten teilen, Zuflucht und Verfolgung. Ich werde, sobald es zum Widerstand kommt, mit Marcel eine Knarre nehmen. Selbst wenn man mich dann zusammenknallt, kommt es*

Marseille, um 1940

mir vor, man könne mich nicht restlos zum Sterben bringen.[237] Diese Entscheidung – ein Schluß, der nicht von Anfang an feststand[238] – orientiert das bis dahin verworrene Leben dieses in vielem typischen Seghers-Helden und erscheint im Romanzusammenhang als für ihn richtig.

Zentrale Metapher für möglichen Widerstand ist nicht mehr wie im *Siebten Kreuz* die Selbstbehauptung durch Flucht, sondern das geduldige Ausharren am *Rand unseres Erdteils*[239] – eine Metapher übrigens, die Volker Braun viel später in «Transit Europa», das in den letzten Jahren der DDR entstand, aufnahm und umformte. Spontan und intuitiv rebelliert der Erzähler, in seiner *gründlichen Suche nach dem, was für immer vorhält*[240], gegen die in Marseille grassierende *Abfahrtskrankheit*[241], deren identitätszersetzende Wirkung unter den Flüchtlingen er mit Widerwillen registriert. Gleich bei seiner Ankunft in Marseille erklärt man ihm: *Sie wissen doch wenigstens eins, mein Sohn, daß jetzt die wirklichen Herren die Deutschen sind*[242], und unbewußt versteht er, daß sich diejenigen, die *abfahrtssüchtig*[243] die Konsulate belagern, noch immer der zerstörerischen Macht der Nazis ausliefern. Diese Macht manifestiert sich nun nicht in physischem Terror, sondern in der allgemeinen Verunsicherung und in einer erschreckenden Bürokratie, bei deren Zeichnung Seghers bewußt an Kafka anschließt.[244] Auch sie betont an dem *Zustand, den man auf Konsulaten Transit nennt und in der gewöhnlichen Sprache Gegenwart*[245], die Verfallserscheinungen und deutet die absurde Transitwelt international als grotesken Auswuchs einer Gesellschaftsordnung, in der der einzelne nicht zählt, eine Welt voll von *Im-Stich-Lassern*, die dem Faschismus nichts entgegenstellen, ihm nur in die Hände spielen kann. *Denn Unsinn, Unsinn war dieser Kraftaufwand, um eine brennende Stadt mit einer anderen brennenden Stadt zu vertauschen, das Umsteigen von einem Rettungsboot auf das andere, auf dem bodenlosen Meer*[246], läßt sie ihren Erzähler emphatisch erklären.

Die tiefe Ambivalenz, die Seghers beim Verlassen Europas empfand – ihr fünfzehnjähriger Sohn wollte überhaupt bleiben –, ging deutlich in den Roman ein und färbte ihn entscheidend, vielleicht am gravierendsten in der geringen Bedeutung, welche die Autorin der Gefährdung der Juden beimaß, obwohl ihre noch in Deutschland lebende Mutter unmittelbar darunter litt. *Was kann denn höllischer sein? Der Krieg?* läßt Seghers einen jüdischen Transitär fragen, ehe er sich entschließt, wieder *heim*[247] zu fahren. Mexiko, das Land, das bereit war, Seghers aufzunehmen, war ihr, so positiv sie sich später darüber äußern würde, völlig fremd. Ihren Erzähler läßt sie, auf seinen Charakter zugeschnitten, aber die eigene Zurückhaltung mitreflektierend, sagen: *An Mexiko ging mich nichts an… Ich hatte auch über das Land nichts gehört, was mir besonders im Gedächtnis geblieben wäre. Ich wußte – es gab dort Erdöl, Kakteen, riesige Strohhüte. Und was es auch sonst dort geben mochte, es ging mich ebensowenig an…*[248]

Entscheidend ist jedoch letztlich nicht, ob man bleibt oder flieht –

Szene aus der Verfilmung von «Transit» durch René Allio, 1991: Seidler (Sebastian Koch) und Marie (Claudia Messner) in einem Marseiller Café

selbstlos helfen der Erzähler und viele Franzosen dem einbeinigen und kranken Spanien-Kämpfer und Kommunisten Heinz, der positiven Vorbildfigur, die Seghers dem Roman einfügte, nach Amerika zu entkommen. Wichtig ist, daß man der allgemeinen Verwirrung nicht zum Opfer fällt, daß man seine Aufgaben und eingegangenen Verpflichtungen nicht im Stich läßt, weder aus Verzweiflung, wie der Schriftsteller Weidel, der sich beim Einmarsch der Deutschen in Paris tötet, noch aus der falschen Hoffnung, daß es *dort drüben* in Übersee gibt, *was man hier auf Erden immer umsonst gewünscht hat: einen neuen Anfang*[249].

Welche Aufgaben und Verpflichtungen das für sie sind, gestaltet Seghers in zwei zentralen Handlungssträngen, in die der Erzähler zunächst stärker verwickelt wird als in die Geschichte seines eigenen Gehens oder Bleibens. Der eine betrifft den Schriftsteller Weidel (Ernst Weiß stand *ganz indirekt* Modell) und dessen unvollendeten Roman, der dem Erzähler zufällig in die Hände fällt und ihn trotz vehement bekundeter Abneigung gegen Literatur tief beeindruckt.[250] Um so enttäuschter reagiert Seidler jedoch auf den plötzlichen Abbruch des Textes: *Ich erfuhr den Ausgang nie... Mich überfiel von neuem die grenzenlose Trauer, die tödliche Langeweile. Warum hat er sich das Leben genommen? Er hätte noch weiterschreiben sollen, zahllose Geschichten, die mich bewahrt hätten vor dem Übel.*[251] Nicht nur das mündliche Erzählen, sondern auch die Lektüre gewinnt für den ursprünglich aller Literatur gegenüber skeptischen, aktionsorientierten Arbeiter wichtige Bedeutung als Lebenshilfe. Mit diesen Erfahrungen ihrer Romanfigur gab Seghers Antwort auf die Frage nach den Aufgaben der Literatur und den Funktionen des Erzählens, die unter den kunst- und kommunikationsfeindlichen Bedingungen des Exils auch sie bedrängte und in der Verunsicherung, aus der *Transit* entsprang, besonders akut wurde. Ihre Antwort ist weiterhin eine positive. Ja, die Enttäuschung, die Seidler empfindet, deutet den Selbstmord des Schriftstellers Weidel als ein Versagen an seiner *Aufgabe*, als eine wichtige Form jener *Imstichlasserei* [252], die im Roman als allgemeines, furchtbares Krankheitssymptom der Zeit dargestellt wird.

Der zweite Handlungsstrang, die Liebesgeschichte um Marie, die Frau Weidels, entwickelt eine andere, für Seghers ebenfalls wesentliche Verpflichtung. Für das Grundmuster ihrer Fabel berief sich die Autorin dabei auf «Andromaque» von Racine und die Treue, die die Heldin des Stückes ihrem toten Gemahl hält. Marie unterscheidet sich allerdings zunächst sehr wesentlich von Andromaque. Sie hat ihren Mann in der allgemeinen Angst vor den einmarschierenden Deutschen mit einem anderen Flüchtling verlassen. Erst später, nach Weidels Tod, an den sie nicht glauben will, beginnt sie eine rastlose Suche nach ihm. Der Erzähler, der sie seinerseits liebt, muß einsehen, daß diese späte, jetzt absurd scheinende Treue ihr einziger Halt ist, ohne den sie zerbrechen würde. Über die Liebe sagt er: *Ich halte viel mehr von weniger glänzenden, weniger besungenen Leidenschaften. Doch leider ist etwas fest vermischt mit dieser flüchtigen, fragwürdigen Sache, etwas tödlich Ernstes, es hat mich schon immer gestört, das Wichtigste auf der Welt so vermischt mit dem Flüchtigsten und Belanglosesten. Zum Beispiel, daß man einander nicht im Stich läßt, das ist auch etwas an dieser fragwürdigen, windigen, ich möchte sagen transitären Angelegenheit, was nicht fragwürdig ist und nicht windig und nicht transitär.*[253]

Seghers erlaubte hier ihrem Erzähler, deutlich auszusprechen, was sie selbst glaubte und in ihren Werken immer wieder darstellte, allerdings selten so sehr in den Mittelpunkt rückte. Auch in diesem Bereich griff sie zur Verfremdung, um die persönliche Erschütterung, die Angst um ihren Mann und die Notwendigkeit, ihn unter Einsatz der eigenen Sicherheit aus dem Lager zu befreien, gestalten zu können. Mit Hilfe der Fiktion versicherte sie sich dessen, was ihr selbst Halt geben konnte, eine Strategie, die sie, bei aller offensichtlichen Distanz ihrer Werke zur Autobiographie, im Grunde immer anwendete, die aber nie so transparent wird wie im *Transit*-Roman. *Daß man einander nicht im Stich läßt* – Loyalität zu den Menschen, die sie liebte, zur *Aufgabe*, die sie gewählt hatte – war für Seghers ein zentraler Begriff.

Mexiko

Mir kam es plötzlich genauso phantastisch wie ihm vor, daß ich aus Europa nach Mexiko verschlagen war. – Das Dorf war festungsartig von Orgelkakteen umgeben wie von Palisaden. Ich konnte durch eine Ritze in die graubraunen Bergabfälle hineinsehen, die kahl und wild wie ein Mondgebirge, durch ihren bloßen Anblick jeden Verdacht abwiesen, je etwas mit Leben zu tun gehabt zu haben. Zwei Pfefferbäume glühten am Rande einer völlig öden Schlucht. Auch diese Bäume schienen eher zu brennen als zu blühen. Der Wirt hatte sich auf den Boden gehockt, unter den riesigen Schatten seines Hutes. Er hatte aufgehört, mich zu betrachten, ihn lockten weder das Dorf noch die Berge, er starrte bewegungslos das einzige an, was ihm unermeßliche, unlösbare Rätsel aufgab: das vollkommene Nichts. So beschreibt die Ich-Erzählerin in der 1943 entstandenen Geschichte *Der Ausflug der toten Mädchen*[254] Landschaft und Einwohner Mexikos und erklärt kurz darauf: *Es gab nur noch eine einzige Unternehmung, die mich anspornen konnte: die Heimfahrt.*[255] Das Gefühl völliger Fremde und die Sehnsucht nach Deutschland bestimmen das Bild des neuen Gastlandes auch noch einige Jahre nach der Ankunft. Seghers entwirft es vornehmlich in künstlerischer und nicht in autobiographischer Absicht, es ist jedoch das einzige, das in Mexiko entsteht.[256] Wenn Seghers später erklärt: *Unter allen Ländern, die ich kenne, hat Mexiko den größten Eindruck auf mich gemacht*[257], und: *Es hat mir dort außerordentlich gut gefallen…ich…sehne mich, noch einmal hinzukommen*[258], spricht sie aus der Distanz der Zurückgekehrten, die, nicht mehr bedroht von der Angst vor Entwurzelung, die sie beim Verlassen Europas befiel, nun in Muße und mit etwas Nostalgie die Eindrücke von damals verarbeitet.

Während Seghers in Mexiko war, richtete sie ihren Blick ganz auf Europa und besonders auf Deutschland. Sie konzentrierte sich auf die Fertigstellung alter und die Verwirklichung neuer Schreibprojekte, die um den Faschismus in Europa und vor allem um Deutschland kreisten. Die Kinder schickte sie auf eine französische Schule und, sobald das möglich wurde, zum Studium nach Paris, den Sohn schon im Herbst 1945, die Tochter im Sommer 1946.[259] *Hier gibt es einige Schwierigkeiten, zu ma-*

chen und zu finden, was man will[260], schrieb sie 1944 über die Ausbildungsmöglichkeiten in Mexiko.

Das hieß jedoch nicht, daß sie ihr Gastland während der beinahe sechs Jahre, die sie darin lebte, ablehnte. *Ich bin im ganzen jetzt doch froh, hier zu sein und dieses Land und dieses Volk kennenzulernen*[261], resümierte sie 1944, als das Ende des Dritten Reichs und die Möglichkeit einer Heimkehr bevorstanden. Sie studierte Spanisch und hatte mexikanische Freunde und Bekannte, unter anderen die Maler Clara Porset, Diego Rivera und Xavier Guerrero. Auch den damaligen chilenischen Botschafter in Mexiko Pablo Neruda lernte sie kennen und bewundern. Rückblickend fand sie sogar den langen Spitalsaufenthalt nach ihrem schweren Unfall am 24. Juni 1943 – ein Bus fuhr sie abends beim Überqueren einer Straße an, sie erlitt einen Schädelgrundbruch – *künstlerisch für mich ausgezeichnet, denn dadurch lernte ich viele Menschen kennen und sprach mit ihnen*[262]. Die Bemerkung deutet allerdings auch an, daß das bis dahin nicht der Fall gewesen war. Seghers blieb sich bewußt, wie wenig ihre bisherige Bildung und Orientierung, ganz anders als in Frankreich, zum Verständnis der Neuen Welt beitrugen. In einem Interview für die amerikanische Zeitschrift «New Masses» sagte sie 1943: *Mexiko ist ideal für Künstler. Die Atmosphäre ist anregend. Aber ich glaube nicht, daß ich je darüber schreiben werde. Ich weiß so wenig über das Land.*[263] Erst kurz vor der Rückkehr – bereits mit dem Blick auf Leser in Deutschland – änderte sie ihre Meinung und plante, die *Menge von Material,* die *Erlebnisse und Erfahrungen, die ich wohl zuerst kaum verstanden habe. (Die halbkolonialen Verhältnisse, die Macht der katholischen Kirche, die andauernde, jahrhundertlange, unwahrscheinliche Armut usw.),* auszuwerten, meinte aber: *…darüber werde ich besser daheim schreiben.*[264]

Das Leben in Mexiko bot Seghers bald, was sie in Paris nicht gekannt hatte, finanzielle Sicherheit. Der Erfolg des *Siebten Kreuzes* war auch in dieser Hinsicht beträchtlich.[265] Das Buch erzielte als «Book of the Month» für Oktober 1942 sofort hohe Auflagen, erschien als Comic Strip in US-amerikanischen Zeitungen und wurde 1943 für fast 70000 Dollar an Metro-Goldwyn-Mayer als Film-Story verkauft.[266] Noch wichtiger aber war für Seghers, daß sie wieder in einem Kreis Gleichgesinnter lebte und arbeitete – Mexiko hatte zahlreiche deutschsprachige Emigranten und nahm 1941/42 eine Reihe kommunistischer Intellektueller und Funktionäre auf. Unter ihnen wurde es Seghers jedoch auch manchmal eng. In einem Brief erwähnt sie einmal die *uferlosen und fruchtlosen Diskussionen und Streitigkeiten der Emigrationsatmosphäre*[267], verschleierte damit allerdings ernsthafte Differenzen, so die Ausgrenzung von Georg Stibi und Hannes Meyer, der die Radványis privat nicht folgten, gegen die sie aber öffentlich nichts sagten.

Die deutschen Kommunisten in Mexiko standen unter der Führung des Politbüromitglieds Paul Merker und bemühten sich zielstrebig, ihr Asyl-

In Mexiko, 1942

land zum Zentrum für eine breite Anti-Hitler-Koalition zu machen, die an die Ideen der Volksfront aus der Zeit vor dem Hitler-Stalin-Pakt anknüpfen und diese – den neuen Bedingungen entsprechend – erweitern sollte. Das hieß, früher vernachlässigte Zielgruppen wie die Auslandsdeutschen, die jüdische Emigration und die großen Exilzentren in den USA zu berücksichtigen. Die Exil-Kommunisten in Mexiko sahen sich als die Sprecher des zukünftigen Deutschland im Westen, was vorübergehend zu einer von den Exil-Kommunisten in Moskau divergierenden Entwicklung führte. Die «Mexikaner» hatten zunächst eine gewisse Autonomie und eigene publizistische Möglichkeiten. Doch waren es nicht die deutschen Antifaschisten, die Hitler schließlich besiegten, sondern die militärischen Großmächte, die auch die Bedingungen für einen Frieden diktierten. Daher konnten die «Moskauer», die unter dem Patronat der sowjetischen Sieger standen, schon vor Ende des Krieges ohne Diskussion ihren Führungsanspruch bekräftigen.[268] Den «Mexikanern» aber begegnete man später in der DDR mit Mißtrauen, ja – besonders im Falle Paul Merkers – mit Verfolgung, ohne dabei die verdeckte Konkurrenz in den ersten Jahren des mexikanischen Exils zur Sprache zu bringen.

Seghers trug in Mexiko wesentlich bei zur Propagierung der neuen, erweiterten Volksfront-Ideen und beteiligte sich rege an der Schaffung von Foren für deutschsprachige Kultur und Literatur. Noch im Herbst 1941 gründete sie zusammen mit anderen, wie Egon Erwin Kisch, Bodo Uhse und dem österreichischen Musiker Ernst Römer, eine Vereinigung antinazistischer Intellektueller, die sich die «Förderung deutscher und österreichischer freiheitlicher Kunst, Literatur und Wissenschaft»[269] zur Aufgabe machte und nach dem *großen Deutschen und dem kranken Juden*[270] Heinrich-Heine-Klub benannt wurde. Seghers war Präsidentin und bestritt die erste Veranstaltung am 21. November 1941 mit einer Lesung aus den *Sagen vom Räuber Woynok* und dem *Siebten Kreuz*. Am 4. Februar 1943 folgten Auszüge aus *Transit*. Sie spielte auch Theater[271] und schrieb die «Kritik» zu einer Aufführung, *Büchners «Wozzek» in Mexiko*[272]. Allgemein bot der Klub ein vielseitiges Programm: Autorenlesungen, Vorträge, Theateraufführungen, Konzerte und mexikanische Abende.

Noch wichtiger für Seghers aber wurde die Gründung der Zeitschrift «Das Freie Deutschland» (nach dem Krieg: «Neues Deutschland») im November 1941. Sie sollte «Das Wort», das nicht mehr existierte, und «Die Internationale Literatur», die unerreichbar geworden war, ersetzen und wurde zu einem bedeutenden publizistischen Organ der Kriegsjahre. «Das Freie Deutschland» wollte kulturell und politisch für eine möglichst breite Anti-Hitler-Koalition wirken und war nicht nur für Mexiko, sondern für die gesamte deutschsprachige Emigration gedacht. Es bot Seghers die Möglichkeit, in Aufsätzen unmittelbar zu den Zeit- und Literaturfragen, die sie und andere beschäftigten, Stellung zu nehmen und Erzählungen wie *Das Obdach, Ein Mensch wird Nazi* und *Die drei Bäume* zu veröffentlichen. Noch nachdem sie Mexiko bereits verlassen hatte, schickte sie Beiträge an die «Demokratische Post», eine für Deutsch-Mexikaner bestimmte Beilage der Zeitschrift.[273] 1942 gründeten die Exilierten außerdem einen Buchverlag, «El Libro Libre», bei dem Anfang 1943 *Das siebte Kreuz* in deutscher Sprache erscheinen konnte. Beide, die Zeitschrift und der Buchverlag, forderten neben geistiger rein praktische Mitarbeit[274], an der sich auch Seghers mit ihren Kindern beteiligte.

Theater im Heinrich-Heine-Klub, Mexico City:
Gespielt wurde «Der Fall des Generalstabschefs Redl» von Egon Erwin Kisch.
Anna Seghers vierte von links

Nach wie vor galt die Hauptenergie jedoch dem Schreiben, zunächst bis
Juni 1943 der Fertigstellung von *Transit*, dann, spätestens mit Anfang 1944,
einem *neuen Roman, Die Toten bleiben jung* [275], der aber erst nach der
Heimkehr beendet und veröffentlicht wurde. Daneben verfaßte Seghers
weiterhin Erzählungen, *abends* und zur Entspannung, wie sie ihrem amerikanischen Verleger in Boston erklärte, bei dem sie eifrig für ihre Idee, die
Herausgabe einer *Sammlung von Kurzgeschichten*, warb. Sie hoffte, sie *auf
diesem Kontinent zurückzulassen neben dem Hauptbuch, das ich schreibe* [276]. Seghers war dieses Projekt so wichtig, weil sie meinte, daß *selbst ein
erstklassiger Roman nur auf ein Gebiet bezogen sein kann*, sie aber, wie sie
sich in einem Brief an Herzfelde salopp ausdrückt, *gern in einem solchen
Novellenband auch außer den Variationen eine künstlerische Antwort geben* wollte *auf die Meckereien von Leuten, denen bald eine Geschichte nicht
artistisch, bald nicht politisch genug ist, bald zu erotisch, bald zu asketisch* [277].
Sie fühlte, wie aus ihren Bemerkungen der frühen vierziger Jahre deutlich
hervorgeht, daß sie ihre künstlerischen Fähigkeiten voll entwickelt hatte
und viele sehr verschiedene Leser ansprechen konnte. Wenn man auch in
Boston nicht auf Seghers' Wunsch einging, ein kleiner Band von drei
Geschichten erschien schließlich doch in Amerika: *Der Ausflug der toten
Mädchen und andere Erzählungen* – 1946 in New York, in Wieland Herz-
feldes unter großen Schwierigkeiten gegründetem deutschsprachigen Verlag «Aurora». Er enthielt mit der Titelgeschichte die heute wohl am meisten

FUNDAMENTO PARA LA PRODUCCION DE LIBROS ANTI-NAZIS EN IDIOMA ALEMAN

1 PESO

VERLAG „DAS FREIE BUCH"

Creada en el noveno aniversario de la más profunda vergüenza para la cultura: día del retorno de la quema de libros en Alemania. 10 de mayo de 1942.

Baustein zur Unterstützung des Verlags El Libro Libre, in dem 1942 die Erstausgabe von «Das siebte Kreuz» erschien. Leiter des Verlags war Walter Janka

beachtete Erzählung von Anna Seghers. Sie wurde nach dem schweren Unfall, der zu langer Amnesie geführt hatte, geschrieben, die Idee dazu aber stammte, wie sich aus Aussagen in Briefen von 1943 entnehmen läßt, schon aus der Zeit davor.[278]

«Subjektive Authentizät» und «Erinnerung an eine Zukunft»[279], zwei von Christa Wolf geprägte und häufig auf deren Werk angewandte Formeln, bezeichnen vielleicht am besten Erzählhaltung und -intention in diesem Text, einer Ich-Erzählung, in der die für Seghers sonst so wichtige Distanz zwischen Autorin und Figur aufgehoben zu sein scheint. Die Erzählerin hört auf Netty – *Mit diesem Namen hatte mich seit der Schulzeit niemand mehr gerufen*[280] –, ist eine aus Mainz stammende, nach Mexiko verschlagene Schriftstellerin, deren Mutter in einem Konzentrationslager umkam, und hat gerade *Monate Krankheit* hinter sich. Es geht Seghers jedoch auch hier nicht um offene Selbstdarstellung, sie sieht und verwertet vielmehr das Exemplarische an der eigenen Biographie, einem deutschen Emigrantenschicksal, mit seinem Leiden an und in der Fremde und seinem Wissen um die Verbrechen daheim. Auch ihre jüdische Abstammung, mit der sich die Autorin außerhalb Mexikos sonst kaum identifizierte, wird indirekt erwähnt, in Kenntnis der Massenvernichtung der Juden und mit Rücksicht auf die vielen jüdischen Emigranten und die unter ihnen heftig geführten Debatten über ihr Verhältnis zu Deutschland. Mit den authentischen, autobiographischen Details weist sich die Erzählerin als eine selbst zutiefst Betroffene aus und gibt dem Bekenntnis zur Heimat, das sie dennoch leistet, Vertrauenswürdigkeit und Autorität.

Die Struktur der Erzählung ist so einfach wie komplex. Beim Erkunden eines *Rancho*, das in der öden mexikanischen Landschaft ihre *müßige Neugier … Restbestand meiner alten Reiselust* [281], erregt hat, verwandelt sich der fremde Ort vor den von *flimmrigem Dunst* und *eigener Müdigkeit* vernebelten Augen der Erzählerin [282] in eine vertraute grüne Kaffeeterrasse am Rhein. An einem Frühlingstag ein oder zwei Jahre vor Ausbruch des Ersten Weltkriegs hält sie hier mit ihren Klassenkameradinnen und Lehrerinnen auf einem Schulausflug Rast. Der Ausflug wird als Idylle gezeichnet, Jugendliche beim Spielen und Essen, ein ideales Liebespaar, eine bukolische Landschaft, die *Lebensfreude und Heiterkeit statt der Schwermut* [283] erzeugt. In einer eigentümlich schwebenden Weise, die Christa Wolf später verwenden und weiterentwickeln sollte [284], ist die Erzählerin während ihrer traumartigen Vision sowohl das miterlebende Kind als auch die erwachsene Exilierte und Schriftstellerin, die als einzige aus der Schulklasse zwei Weltkriege, die Verfolgung der Juden und Antifaschisten und das Bombardement von Mainz überlebt hat und aus Briefen und Berichten – aber auch aus der künstlerischen Phantasie der Autorin – Bescheid weiß über das weitere Schicksal der Figuren. Ihr Wissen um Geschichte und Geschichten bleibt präsent, je genauer sie sich als Netty müht, sich *auch die winzigsten Einzelheiten* des Ausflugs *für immer zu merken* [285]. Diese Erzählperspektive wird bei jeder der eingeführten Figuren – ein breites Spektrum von Mitschülerinnen, Lehrerinnen, einigen Mitgliedern einer Jungenklasse, die in dasselbe Lokal kommen – konsequent angewendet. Dem Damals des Ausflugs folgen das Später des weiteren Lebens und, gelegentlich, ein Kommentar aus der Sicht der Erzählgegenwart. Niemand, so deutet Seghers mit dieser Form an, kann und darf von der Vergangenheit so sprechen, als ob er nichts von deren Folgen wüßte. Aus der historischen Perspektive der Erwachsenen entpuppt sich die Idylle, so wahr und schön sie in der Erinnerung ersteht, als eine «gestörte». [286]

Im Mittelpunkt der Erzählung steht – mit der am Faschismus zerbrochenen Freundschaft zwischen Leni und Marianne – die Frage, die Seghers seit der Machtergreifung Hitlers nicht losgelassen hat: Wie konnte es passieren? [287] Auch im *Ausflug* wird auf ein Versäumnis hingewiesen, der Akzent hat sich aber verschoben: *Nie hat uns jemand, als noch Zeit dazu war, an diese gemeinsame Fahrt erinnert. Wie viele Aufsätze auch noch geschrieben wurden über die Heimat und die Geschichte der Heimat und die Liebe zur Heimat, nie wurde erwähnt, daß vornehmlich unser Schwarm aneinandergelehnter Mädchen, stromaufwärts im schrägen Nachmittagslicht, zur Heimat gehörte.* [288] Das Versäumnis besteht nun in erster Linie darin, das Verbindende nicht stärker hervorgehoben, keine echte Gemeinschaft geschaffen zu haben. Die Erzählerin wird es, beispielhaft für die Autorin, abgelten, indem sie den Auftrag ihrer Lehrerin annimmt, *für die nächste Deutschstunde eine Beschreibung des Schulausfluges* zu *machen*[289], und ihn mit dem Wissen der Überlebenden getreulich ausführt – für das nächste, das neue Deutschland.

Mit seiner Thematik gehört *Der Ausflug* zum Kern des Exilwerks. Im besonderen repräsentiert er einen wesentlichen erzählerischen Beitrag zu den Fragen, die in Mexiko in den Vordergrund traten, vor allem zu den Auseinandersetzungen um das Schicksal der Deutschen nach dem Krieg. So sehr der Blick der Erzählung rückwärtsgewandt erscheint, so klar bestimmt die Frage nach der Zukunft der alten Heimat und der Rolle derer, die im Exil überlebt haben, vor allem der Schriftsteller, die Perspektive. Es ist ein Erinnern um der Zukunft willen, ein Erinnern, das sorgfältig differenzierend die vielen Schuldigen und Opfer, aber auch die wenigen Mutigen nennt, und trotz allem von der Liebe zu, aber noch mehr von dem Gefühl der Verantwortung für Deutschland getragen wird. Heimat ist nicht nur eine schmerzlich vermißte Landschaft, sondern in erster Linie menschliche Gemeinschaft, *eine unzertrennbare Einheit, aus der man nichts herausnehmen kann, um es allein zu lieben*[290], wie Seghers in einem zeitgenössischen Aufsatz sagt. Diese Einheit wurde vom Nationalsozialismus schwer erschüttert und muß neu, doch echter und solider als früher aufgebaut werden.

In den Aufsätzen im «Freien Deutschland», unter anderem

in *Deutschland und wir* (1941), *Köln* (1942), *Volk und Schriftsteller* (1942), *Freies Deutschland 1792* (1944), *Aufgaben der Kunst* (1944), *Inneres und äußeres Reich* (1946), stehen die Fragen nach der Schuld des deutschen Volkes, der Entnazifizierung und der kulturellen und politischen Neugestaltung Deutschlands ebenfalls im Vordergrund. Seghers wehrte sich – wie Paul Merker und andere Kommunisten, aber auch Nicht-Kommunisten – gegen die These einer Kollektivschuld und gegen Ideen wie die des englischen Lords Robert Vansittart, die seit 1941 im Westen um sich griffen und den Deutschen einen grundsätzlich kriegerischen Nationalcharakter zuschrieben. Sie erwies sich aber mit ihren Beiträgen im Umkreis der «Hitler ist nicht Deutschland»-Kampagne des «Freien Deutschland» als nüchterner und subtiler als ihre kommunistischen Genossen.[291] In *Deutschland und wir* stellte sie ohne Beschönigung die Frage, die, in den Kontext ganz alltäglichen deutschen Frauenlebens verlegt, auch hinter dem *Ausflug der toten Mädchen* steht: *Ein Volk, das sich auf die andren Völker wirft, um sie auszurotten, ist das noch unser Volk? ... Ein Volk, das schweigend Pogromen zusieht, Mord, Brandstiftungen, den raffinierten Quälereien Schwacher und Unschuldiger.*[292]

Sie erhoffte sich auch keinen substantiellen innerdeutschen Widerstand mehr, obwohl ihn die Kommunisten immer wieder im Kommen glaubten und von außen forderten.

Dennoch lehnte Seghers eine Pauschalverurteilung und die Idee der Kollektivschuld ab: *Diese Gedanken kommen von Menschen, die viel gelitten haben. Sie sind jetzt, gequält und vertrieben, auf einem Punkt angelangt, der gefährlich nah dem Punkt liegt, von dem aus sie vertrieben wurden. Für sie* sei *die Geschichte starr ... die Grundeigenschaften des Volkes stehen fest, unveränderbar, rassenmäßig.*[293] Gegen diese Umkehrung nazistischer Rassenideologie stellte sie ihren Glauben an die Möglichkeit *der Veränderung der Gesellschaft und des einzelnen Menschen*[294], was zunächst *Entfaschisierung* bedeutete. Das Ziel dieses *Prozesses*, den sie als schwierig voraussah – *er wird durch Rückschläge gehn, durch bittere Enttäuschungen, durch unermüdliche Geduld, durch sehr viel Zeit...*[295] –, war in ihren Augen aber nicht einfach die Wiederherstellung der alten *Einheit* ohne Nazis, sondern eine ganz neue: *Die Entfaschisierung Deutschlands wird seinem Volk, die eigne Geschichte überwindend, die Einheit des sozialen und nationalen Bewußtseins bringen, die Grundlage seiner neuen Kultur*[296] – eine Grundlage, die es, wie Seghers in ihren Aufsätzen dieser Jahre immer wieder hervorhob, noch nie gekannt hatte. Deutschland aufgeben würde nicht nur den Verlust der eigenen Identität bedeuten, die, wie Seghers sich während des Exils sehr klar wurde, mit Landschaft, Kultur und Menschen der Heimat verwachsen war, sondern vor allem auch ein *Im-Stich-Lassen* der ursprünglichen *Aufgabe*, der sozialen Bewußtseinsbildung und gesellschaftlichen Veränderungen.

Die zweite Geschichte des Aurora-Bandes, *Post ins gelobte Land*, zeigt

Die Eltern von
Anna Seghers:
Hedwig und Isidor
Reiling

deutlich, wie weit Seghers in ihrer Ablehnung einer pauschalen Schuld für
das deutsche Volk zu gehen bereit war. Im Herbst 1945 geschrieben, konzentriert sie sich ausschließlich auf das Schicksal einer jüdischen Familie,
Grünbaum/Levi, das über vier Generationen verfolgt wird und mit dem
Untergang aller – der letzten bei der Besetzung Frankreichs durch die
Naziarmee – endet. Die Geschichte spielt jedoch nicht in Deutschland,
sondern in Frankreich und Palästina, und Hinweise auf Nationalsozialismus und Holocaust sind selten. Die Judenvernichtung unter den Nazis ist
nichts Außergewöhnliches, sie wird als eine der vielen *Untaten* [297] der Vergangenheit relativiert. Seghers bezieht sich mit dieser Erzählung auf die
großen, auch im «Freien Deutschland» geführten Debatten der Zeit über
Assimilation und Heimat für die Juden, weicht jedoch nicht ab von ihrer
Forderung nach einer Gesellschaftsordnung, in der niemand unter Verfolgung zu leiden hat. Assimilation in einem sozial progressiven Land,
wie es das Frankreich der Erzählung vor Hitlers Einmarsch ist (wobei
Seghers den real existierenden Rassismus der Franzosen ignoriert) und
wie es – so die Implikation – das neue Deutschland werden soll, erscheint
als die positive Lösung der Judenfrage.

Ihren besonderen Reiz erhält die Geschichte durch das Motiv der *Post*, jene Briefe, die der Sohn vor seinem Tod an einer unheilbaren Krankheit «auf Vorrat» für den alten, orthodoxen Vater schreibt, der nach Palästina, in das *gelobte Land*, gefahren ist, um dort zu sterben. Durch diese Briefe gelingt es dem Sohn über den Tod hinaus, zum Vater, von dem er im Leben zuerst geistig und dann auch räumlich weit entfernt war, eine tiefe und enge Verbindung herzustellen. Sie wurzelt in dem Unveränderlichen, das ihnen gemeinsam ist, zum Beispiel der Liebe zu Frau und Kind und dem Glauben an etwas Wichtigeres als sie selbst, an Gott oder an eine selbstgewählte Aufgabe. Seghers zeichnet ihre jüdischen Charaktere, vor allem den *sachten und weichen*, aber in den wichtigen Dingen entschlossenen und weisen Nathan, und deren Bräuche in liebevollen Details. Es liegt nahe, anzunehmen, daß die Erzählung, wie schon *Der Ausflug der toten Mädchen*, auch ein Stück «Trauerarbeit» war, daß die Erinnerung an die eigenen Eltern und vielleicht auch ein Gefühl der Versäumnis ihnen gegenüber in die bewegende Darstellung hineinspielten. *Post ins gelobte Land* wäre dann Kommunikation der Autorin mit den Eltern über deren Tod hinaus, eine Kommunikation, die während des Lebens nicht mehr gelang. Von den Briefen des Sohnes heißt es zum Beispiel: *Der Arzt Levi schrieb viel leichter und heiterer, als er früher mit dem Vater hatte sprechen können.*[298] Und etwas später: *Der Sohn schien jetzt zu bereuen, daß er den alten Mann nie hatte an seinem Glück genug teilnehmen lassen.*[299]

Anna Seghers mit ihren Kindern Peter und Ruth, Mexiko 1944

Besuch bei Diego Rivera, um 1945

In der dritten Erzählung des Aurora-Bandes, *Das Ende*, auch 1945, doch schon etwas früher entstanden, stellte Seghers bereits das Deutschland nach dem Zusammenbruch dar. Es ging ihr wie in den Aufsätzen *Fürst Andrej und Raskolnikow* (1944) und *Gotthold Ephraim Lessing* (1945) darum, die psychische Zerstörung, die ein schrecklicher Krieg hinterläßt, zu erfassen. Für den KZ-Aufseher Zillich, der im Zentrum dieser Erzählung steht, gibt es keine Hoffnung mehr, eine Strafe ist jedoch nicht notwendig. Die Menschenverachtung und das Mißtrauen, die Seghers stets mit dem Faschismus verbunden hat, fallen auf ihn selbst zurück und treiben ihn in den Selbstmord. Die Erzählung endet aber nicht mit diesem Tod, sondern mit den Gedanken eines Lehrers, der voll Erschütterung die Freude sieht, mit der Zillichs Sohn die Nachricht vom Tod seines furchtbaren Vaters aufnimmt: *Jetzt mußte ein anderer, ein fremder Vater, jetzt mußte er selbst für ihn sorgen.*

Diese Worte drücken auch das Gefühl von Verantwortung und Autorität aus, mit dem Seghers nach Deutschland zurückkehrte. Für sie bestand die Hauptaufgabe der Nachkriegszeit nicht in der Bestrafung, sondern in der *Umwandlung* all der Deutschen, die der Faschismus noch nicht zerstört, sondern erst beschädigt hatte, vor allem des *verlorenen Sohnes, des deutschen Jugendlichen*. Sie wählte das Wort *Umwandlung* bewußt, denn *Umerziehung* wäre, wie sie in *Aufgaben der Kunst* (1944) schreibt, zu wenig: *Wo und was soll man umerziehen* nach der *Dressur* unter Hitler, *wenn die Brüder und Väter mit nationalen Begründungen zum Abschlachten von Juden und zum Massenmord von Gefangenen abgerichtet wurden?* [300] *Umwandlung*, dieser für Seghers so wichtige Begriff, der eine tiefe Berührung des ganzen Menschen voraussetzt, brauchte die Hilfe der Kunst, die *der Jugend einige verlorene Begriffe, einige längst gefälschte Begebenheiten eindeutig darstellt* [301].

Deutlich zeigen diese Überlegungen zur Rolle der Kunst nach dem Krieg bereits jene didaktische Orientierung, die im Schreiben der Seghers nach der Heimkehr in den Vordergrund tritt. Sie ist nicht mehr die bürgerliche Intellektuelle, die zum proletarischen Aufbruch beiträgt, auch nicht die Antifaschistin, die mit ihresgleichen gegen den Nationalsozialismus ankämpft, sondern sie wird zur Lehrerin, die sich verlassener Kinder annimmt. Dieser starke pädagogische Impuls implizierte eine Überlegenheit an Einsicht und Moral, die Seghers vielen Deutschen der Nachkriegszeit gegenüber wirklich besaß. Dennoch schuf das Gefühl der Autorität bei aller Vorsicht, mit der Seghers agierte, auch eine Distanz, die schließlich neue und kritische Einsichten erschwerte.

Die tatsächliche Heimkehr verzögerte sich bis 1947. Die Gründe dafür mögen zum Teil privater Natur gewesen sein. László Radványi lehrte an der Universidad Obrera de México und seit 1944 zusätzlich an der Nationaluniversität und wollte, wie Seghers in einem Brief vom Oktober 1947 schreibt, *nicht abbrechen, da er an Freunden, Arbeit und Land von ganzem Herzen hängt (ich auch)* [302]. Die Hauptursache lag aber in den Reiseschwierigkeiten, mit denen die Kommunisten im Westen nach dem Krieg zu kämpfen hatten. Normalerweise fuhr man von Mexiko über die USA nach Europa. Die westlichen Siegermächte hatten jedoch kein Interesse, kommunistische Exilierte schnell nach Deutschland zurückzuschicken. Paul Merker und seine engsten Mitarbeiter holte 1946 – nachdem ihnen die USA Transitvisa verweigert hatten – ein sowjetischer Frachter nach Wladiwostok ab. Seghers befand sich nicht in dieser Gruppe. Sie hatte einen Verlag und ein Bankkonto in den USA und kehrte schließlich über New York und Schweden nach Deutschland zurück.

Heimkehr und Neubeginn

Anna Seghers kam am 22. April 1947 allein nach Berlin zurück. Ihre Kinder studierten bereits in Frankreich, wo der Sohn für immer blieb. Ihr Mann folgte erst 1952, nachdem sich die Hoffnungen des Paares auf ein *sozusagen bikontinentales Leben mit Arbeit usw.* an den Visa- und Reisebeschränkungen des Kalten Krieges zerschlagen hatten.[303] Sie vermißte ihn, wie Briefe aus diesen Jahren zeigen, sehr.[304]

Heimkehr war für die Exilierten im allgemeinen keineswegs selbstverständlich, ein Großteil auch der Schriftsteller[305] blieb in den inzwischen zur neuen Heimat gewordenen Gastländern. Die Kommunisten bildeten allerdings eine Ausnahme. Für Seghers bedeutete Heimkehr die notwendige, konsequente Fortsetzung ihrer bisherigen Arbeit: *Ich bin zurückgekommen, weil ich für die Menschen, die ich sowohl im Guten als auch im Schlechten am besten kenne, das meiste tun kann. Ich will durch die Bücher, die hier entstehen werden, verhindern helfen, daß die Fehler der Vergangenheit jemals wiederholt werden*, sagte sie gleich nach der Ankunft zu einer Journalistin.[306]

Als Schriftstellerin erwartete Seghers, endlich in Deutschland, auf das sich ihre künstlerische und publizistische Arbeit im Exil konzentriert hatte, breite Resonanz zu finden. Darüber hinaus sah sie in ihrer Beteiligung an einem Neuaufbau die Chance, jene Übereinstimmung zu erreichen, die sie 1946 in ihrem Aufsatz *Inneres und äußeres Reich* mit einem Heine-Zitat beschworen hatte: «*Indessen, die neue Zeit wird auch eine neue Kunst gebären, die mit ihr selbst in begeistertem Einklang sein wird.*»[307] Sie hoffte, so die Seghers-Forscherin Sigrid Bock, unter solch günstigen Bedingungen «ein großes Werk von nationaler Bedeutung hervorzubringen»[308]. Daß ihr das nicht gelang, ja, daß die nach der Heimkehr geschriebenen Arbeiten trotz einzelner schöner Texte nicht mehr die künstlerische Qualität und gesellschaftliche Relevanz der besten Exilromane und -erzählungen erreichten, hat viele Gründe, natürlich auch den, daß es die Nation, die sich Seghers vorgestellt hatte, nicht gab. Es entstanden nur zwei miteinander um Vorrang kämpfende, in die Konfrontation

Anna Seghers 1947 in Berlin. Foto von Fritz Eschen

zwischen Ost und West eingebundene Teile Deutschlands. Eine wichtige Ursache für ihr eigenes Versagen in dieser Situation aber nannte sie selbst in dem eben zitierten Aufsatz, in dem sie über die Verantwortung der Schriftsteller und Künstler während des Dritten Reichs, über *«innere Emigration»* und *«Gleichschaltung»* sprach: *Die Zwiespältigkeit, die jedes Leben gefährdet, das auf zwei Gleisen geführt wird anstatt in einer unmiß-verständlichen Einheit, wird bei den Künstlern am klarsten. Ihr Leben ist ohnedies gespalten in ein gelebtes und gestaltetes, in ein inneres und ein äußeres Reich. «Das größte Leid für den Menschen ist, wenn er nicht er selbst sein kann.» Er ist desto tiefer verstrickt, je weniger er in dieser Lage das Bedürfnis empfindet, «er selbst zu sein».*[309] Auch sie sollte in der DDR immer mehr jenes Bedürfnis verlieren und eines ihrer Hauptthemen, Aufruhr und Widerstand gegen Unterdrückung und Ungerechtigkeit, in der neuen Gesellschaft weitgehend aufgeben.

Rückblickend lassen sich Anfänge dieses Problems bald nach der Heimkehr erkennen. Anna Seghers hatte sich, darauf bestand sie stets, keine Illusionen gemacht über die Verhältnisse, die sie in Deutschland vorfinden würde. Trotzdem fiel ihr das Leben, wie private Briefe aus jenen Jahren bekennen, äußerst schwer. Seghers litt nun auch in der Heimat unter der Empfindung von Fremde – die Worte *allein* und *verwaist* fallen – und vor allem von *Kälte: Obwohl hier viele oder alle Menschen lieb und gut zu mir sind, habe ich doch manchmal das Gefühl, daß ich vereise. Ich habe das Gefühl, ich bin in die Eiszeit geraten, so kalt kommt mir alles vor. Nicht weil ich nicht mehr in den Tropen bin, sondern weil viele Sachen ganz beklemmend und ganz unwahrscheinlich frostig für mich sind, ob es um die Arbeit, um Freundschaften, um politische, um menschliche Sachen geht,* berichtet sie im Juni 1948 an Georg Lukács nach Ungarn, den sie *durchaus* besuchen *will, ja muß*[310]. Das Bild, das Brecht, der Seghers in Frankreich traf, in seinem Arbeitsjournal vom 4. November 1947 von ihrer zwiespältigen Lage und Stimmung entwirft, ist detaillierter und drastischer: «anna seghers, weißhaarig, aber das schöne gesicht frisch. berlin ein hexensabbat, wo es auch noch an besenstielen fehlt. sie besucht ihre kinder, die in paris studieren, und will sich auch erholen. um ihren mexikanischen paß zu behalten, wohnt sie nicht im russischen sektor, hat so auch nicht die vergünstigungen, ohne die arbeit unmöglich ist. sie möchte ihre bücher auch in den nichtrussischen zonen gelesen haben. sie scheint verängstigt durch die intrigen, verdächte, bespitzelungen.»[311]

Was Seghers verstörte, war nicht nur die Frontenbildung des Kalten Krieges, sondern auch die Atmosphäre bei den Kommunisten, unter denen die aus Moskau Zurückgekehrten die Macht fest in Händen hielten. Sie hat dieses Unbehagen aber erst viel später in ihrem Roman *Das Vertrauen* (1968) – und nur verhalten – ausgesprochen. Die kulturelle Entwicklung bot ebenfalls bald Anlaß zur Beunruhigung. Die Allianz von Literatur und Politik unter dem Motto «antifaschistisch-demokratische

«Kein Zeichen der Schwäche, Brüder, wir weichen nicht, und wenn ich rufe:
Formalismus! – dann los.»
Zeichnung aus der kulturpolitischen Zeitung «Sonntag»

Ordnung», mit der die sowjetische Besatzungsmacht und die Kommunistische Partei die Intellektuellen und Künstler und mit deren Hilfe breite Schichten der Bevölkerung für einen Neuanfang in ihrem Sinne gewinnen wollten, wurde schneller brüchig, als gemeinhin angenommen wird. Mit einer «Zeitverschiebung» von ganz wenigen Jahren – in denen gerade die sowjetischen Kulturoffiziere ein weites Spektrum künstlerischer Tätigkeit gefördert hatten – begann man bereits 1948, in Literatur und Kunst jene ideologische Verhärtung durchzusetzen, die in der Sowjetunion in dieser Form schon seit 1946 galt. Sie brachte nicht nur scharfe Kritik an Formalismus, Modernismus und Dekadenz, sondern auch – verdeckt und «unter dem Stichwort des Kampfes gegen den ‹wurzellosen Kosmopolitismus›» – Antisemitismus.[312]

Seghers reagierte auf Enttäuschung und Verunsicherung mit einer für sie charakteristischen Mischung aus Pragmatismus, Selbstdisziplin und Zukunftshoffnung. Sofort stürzte sie sich in Arbeit und kam *zum Glück ... beinahe nie dazu, überhaupt über mich nachzudenken*[313]. Um sich Luft zu verschaffen, reiste sie häufig, zunächst zu den Kindern in das geliebte Frankreich. Sie sprach von *diesen Ausflügen* als *beinahe ein Glück, so daß ich leider mit Recht immerzu Angst haben muß, es wird nichts daraus*[314]. Im Verlauf der Jahre unternahm Seghers noch viele andere Reisen, in östliche und westliche Länder, am weitesten 1951 nach China und 1961 und 1963 nach Brasilien. Solche *Ausflüge* – auch die aus offiziellen Anlässen unternommenen – erlaubten ihr, der zunehmenden Ein- und Abgrenzung ihres Teils von Deutschland, unter der sie litt und leiden mußte, zu entgehen.

Vor die Entscheidung gestellt, wählte Seghers jedoch diesen Teil konsequent und äußerte bis zu ihrem Tod öffentlich keine substantielle Kritik an dem System, das hier entstand. Gleich bei der Rückkehr verhielt sie sich, wie ein Interpret feststellte, «politisch, nicht sentimental»[315], indem sie Berlin und nicht die im Exil mit solcher Liebe gezeichnete Heimat am Rhein zum Wohnsitz wählte.[316] Nach der Blockade Berlins 1948 zog sie von Zehlendorf im amerikanischen Sektor nach Adlershof im sowjetischen Teil der Stadt. Dort lebte sie zunächst in einer kleinen, dann – mit der Rückkehr ihres Mannes – einer größeren, aber einfachen Wohnung, Volkswohlfahrtsstraße 81 (heute Anna-Seghers-Straße), in einer bescheidenen Gegend. Sie genoß zwar jene «Vergünstigungen», von denen Brecht spricht und die in der sowjetischen Besatzungszone und dann der DDR das Leben der Intellektuellen gegenüber dem Rest der Bevölkerung erleichterten, doch war und blieb Seghers' Lebensstil schlicht. Bücher, eigene und die umfangreiche Sammlung ihres Mannes, füllten mit den Jahren Räume und Gang, Reisemementos standen zusätzlich auf den Regalen. Ihre Gäste bewirtete Seghers stets mit Kaffee und Kuchen. Sie hatte gern gute Kleider, war aber im allgemeinen sparsam.[317] Obwohl Seghers zu den Privilegierten gehörte – schon ihr Ruf und ihre Kontakte im Ausland, die vielen Reisen, aber auch der Zugang, den sie zu den Regierenden ihres Landes hatte, machten sie dazu –, scheint sie sich bewußt bemüht zu haben, ihr tägliches Leben als geistige Arbeiterin zu führen und Distanz zu den Menschen um sie her möglichst abzubauen. Die Kinder waren bald unabhängig. Ruth studierte Medizin und praktizierte zunächst im Ausland, kehrte aber schließlich in die DDR zurück. Pierre wurde Physiker und gründete in Frankreich eine Familie. Beide Kinder respektierten die Arbeit der Mutter, gingen aber völlig eigene Wege. Nach Seghers' Tod sollten Einkünfte aus den Werken für Stipendien, unter anderem an junge Lateinamerikaner, verwendet werden.

Anna Seghers verstand die politische Entwicklung nach dem Krieg und die persönlichen und künstlerischen Entscheidungen, die sie ihr abverlangte, als Weiterführung der Auseinandersetzung mit dem Faschismus. Ihn galt es für immer auszurotten, ansonsten würde es keinen sozialen Fortschritt, sondern erneut Krieg geben. Sie war überzeugt, daß nur die Kommunisten – das heißt die 1946 aus dem forcierten Zusammenschluß mit den Sozialdemokraten entstandene Sozialistische Einheitspartei Deutschlands –, die *mit Hilfe der Sowjetmacht*, wie Seghers stets betonte, im Osten Deutschlands regieren, den Kampf dagegen konsequent führten und damit die Schaffung einer neuen, besseren Gesellschaft ermöglichten. Als die DDR 1949 gegründet wurde, sah sie darin *zum ersten Mal in der deutschen Geschichte einen Staat… in dem die Macht in den Händen der Menschen liegt, die den Frieden wünschen und soziale Gerechtigkeit und Freiheit*[318]. Sie wollte diesen Glauben, der vor allem auf Hoffnung basierte, bis zuletzt nicht ganz aufgeben, obwohl sie wußte, daß viele der Hände schmutzig waren. Für sie blieben es einzelne Hände, die der richtigen Grundlage nichts anhaben konnten.

Goethe-Feier in Moskau, 1949

Im Westen dagegen habe man die Fragen *Was ist geschehen? Wodurch geschah es? ... Was muß geschehen, damit das Grauen nie mehr wiederkommt? ... bald zum Schweigen gebracht wie die lästigen Fragen von Kindern. Alles geschah, um die in den Hintergrund zu drücken, die ihre Verantwortung kannten und solche Fragen allem Druck zum Trotz beantworteten. In derselben Zeit, in der bei uns Kriegsverbrecher bestraft und enteignet wurden und die Felder der Junker verteilt, kamen in Westdeutschland wieder die alten Großindustriellen und Militärs zu neuen Würden.*[319] Seghers zeichnete die Bundesrepublik stets unter dieser Perspektive, die keine grundsätzliche Veränderung gegenüber jenen Macht- und Besitzstrukturen zugab, welche in der Weimarer Republik den Faschismus begünstigt hatten. Ihre Entscheidung für die DDR der Gegenwart ging für sie notwendig aus ihrer Gegnerschaft gegen den Faschismus der Vergangenheit hervor. Sie übernahm damit die Legitimation, mit der sich die Regierung der DDR von Anfang an auswies, die aber im Verlauf der Jahre, in denen sie zum Übertünchen von Repressionen und wirtschaftlichen Fehlschlägen eingesetzt wurde, zur Leerformel verkam. Für Seghers dagegen war es keine Leerformel, sondern gelebte Erfahrung. Doch förderte diese Erfahrung auch ihre Bereitschaft, um des endgültigen und lebensnotwendigen Sieges willen Fehler, ja Verbrechen auf der eigenen Seite, das heißt in der Sowjetunion, unter den kommunistischen Antifaschisten und in der DDR, zu übersehen.

Von den Autorinnen und Autoren, die nach 1945 aus dem Exil nach Ost-Berlin kamen – dazu gehörten Becher und Brecht, Erich Weinert, Ludwig Renn, Friedrich Wolf, Willi Bredel, Hans Marchwitza, Bodo Uhse, Wieland Herzfelde und Erich Arendt –, war Seghers eine der international bekanntesten. Als die Bemühungen, Heinrich Mann zur Übersiedlung in die SBZ zu bewegen, am Tod des Dichters scheiterten, war sie – respektiert und unpolemisch, außerdem eine Frau – die beste Repräsentantin für einen «antifaschistisch-demokratischen» Neuanfang. Sie konnte aber auch weiterhin als vorbildliche Vertreterin der DDR-Kultur figurieren, da sie einerseits mit ihren bisher geschriebenen Romanen und Erzählungen die progressive Vergangenheit vertrat und damit im Westen weiterhin Achtung genoß, andererseits mit ihren Nachkriegswerken zur Altmeisterin des «sozialistischen Realismus» erklärt wurde – allerdings, indem man ihre eigenen Vorbehalte gegen diesen Begriff ignorierte. *Der sozialistische Realismus wird bejahend oder polemisch von Menschen erwähnt, die in Verlegenheit kommen, wenn man sie genau fragt, was das ist*[320], meinte sie selbst spöttisch.

Seghers wurde bald mit wichtigen Funktionen betraut und 1952 zur Vorsitzenden des neu konstituierten Schriftstellerverbandes gewählt. Sie nahm diese Position zu einem Zeitpunkt an, als die Weichen der DDR-Kulturpolitik längst auf einen harten «stalinistischen» Kurs gestellt waren und der Kampf gegen den sogenannten Formalismus – mit besonders scharfen Angriffen auf die moderne Bildende Kunst – bereits zu traurigen und lächerlichen Auswüchsen geführt hatte, gegen die auch sie leise, aber insistierend aufgetreten war. Und sie behielt ihre Funktion bis 1978, über Jahrzehnte scharfer kulturpolitischer Kämpfe, die viele Talente – angefangen mit Uwe Johnson, Gerhard Zwerenz und Heinar Kipphardt in den fünfziger Jahren – in den Westen trieben und andere – wie zum Beispiel Erich Loest 1956 auf sieben Jahre – ins Gefängnis brachten. Alles in Seghers' Leben deutet darauf hin, daß es nicht Geltungssucht oder Machtgier waren, die sie dazu bewegten, dieses Amt zu akzeptieren und so lange auszuüben, sondern Pflichtgefühl. Sie trat, wie auch andere Schriftsteller und Intellektuelle in den Aufbaujahren, mit der Absicht an, den alten Gegensatz zwischen politischer Macht und künstlerischem Geist zu überwinden, und bemühte sich, immer wieder zu vermitteln. Darin lag ihr Problem. Stets mahnte sie zu größerer Toleranz, sprach aber nie mit provozierender Entschiedenheit, sondern verwendete oft vage, unklare Formulierungen. Sie stellte sich schützend vor einzelne Künstler, deren Arbeit auf kleinliche Kritik stieß, so zum Beispiel den Maler und Graphiker Max Lingner[321], und vor jüngere Kollegen und Kolleginnen, wie Brigitte

Abreise nach Wien zum Völkerkongreß für den Frieden, 1952.
Rechts Adolf Hennecke und Stephan Hermlin

Reimann, Peter Hacks und dann Christa Wolf. Zu prinzipiellen, öffentlichen Protesten aber, die Aufsehen erregt und in ihren Augen die *Sache*
des Sozialismus gefährdet hätten, war Seghers weder in kulturellen noch
in politischen Fragen bereit. Sie glaubte wohl auch nicht, daß Proteste viel
bewirkt hätten, und hoffte lieber, wie ihr Spätwerk deutlich macht, auf
Geduld und Ausdauer. Sie hatte außerdem Angst, weniger um ihre Per-
son als um die Identität, die ihrem Leben und Schreiben Sinn und Ziel
gaben, die Gemeinschaft mit anderen im Dienst an einer Idee. Renegatin
zu sein, diesen Heimatverlust hätte sie nicht ertragen.

In wichtigen Momenten der Zeitgeschichte stand sie voll zu den Regierenden ihres Landes, so am 17. Juni 1953, an dem sich die DDR-Intellek-
tuellen allgemein nicht mit den Streikenden solidarisierten, und nach dem
Ungarn-Aufstand 1956. Als in den frühen fünfziger Jahren im Zuge des
Stalinismus altgediente Kommunisten vor Gericht gestellt und brutal ab-
geurteilt wurden, schwieg Seghers öffentlich[322] – obwohl es sich bei An-
geklagten wie Otto Katz (André Simone), der 1952 im Prager Slánský-
Prozeß hingerichtet wurde, und Paul Merker, der im gleichen Zusammenhang in der DDR zu acht Jahren Zuchthaus verurteilt wurde, um
alte Bekannte aus dem mexikanischen Exil handelte. Simone und

Budapest, 1956: Der abgeschlagene Kopf eines Stalin-Denkmals

Merker wurden unter anderem beschuldigt, die «Interessen zionistischer Monopolkapitalisten» vertreten zu haben.[323] Seghers mag damals besonders um ihren im selben Jahr aus Mexiko zurückkehrenden Mann – für den Simone ein enger Mitarbeiter gewesen war – gebangt haben.

Ein späterer Prozeß (1956/57) – gegen Walter Janka und andere um Wolfgang Harich, die fälschlich staatsfeindlicher Aktivitäten beschuldigt wurden – gibt vielleicht am tiefsten Einblick in die Mischung aus öffentlichem Schweigen und privater Initiative, aus Einfluß und Ohnmacht, die Seghers' schwierige Situation und fragwürdige Haltung charakterisierte. Bei dem Altkommunisten Janka, Leiter des Verlages El Libro Libre in Mexiko und dann des Aufbau-Verlags in Ost-Berlin – also seit dem Exil Verleger von Seghers' Büchern –, lautete ein Punkt der Anklage, er habe das Haupt der Konterrevolution, Georg Lukács, von Budapest nach Ost-Berlin schmuggeln wollen. Dazu hätte Seghers aussagen können und müssen: Sie selbst hatte Janka gebeten, nach Ungarn zu fahren, um Lukács – so ihre von Janka zitierten, wenig Einsicht in die Ereignisse verratenden Worte – *zu suchen, damit der siebzigjährige Freund nicht ein Opfer der Aufständischen in Ungarn würde*[324]; eine Reise, die Kulturminister Johannes R. Becher organisierte, die aber im letzten Moment von Walter Ulbricht verboten wurde. Nach Jankas Verhaftung bat Seghers zwar die Parteileitung des Schriftstellerverbandes, etwas für Janka zu tun – vergeblich. Sie soll auch zweimal bei Ulbricht vorgesprochen und danach bei einer Freundin geweint haben.[325] Im Prozeß selbst aber, dem sie wie viele andere Schriftsteller beiwohnte, blieb sie stumm. Janka, der zu fünf Jahren Zuchthaus verurteilt wurde, kam nach seiner frühzeitigen Entlassung privat und beruflich – er arbeitete als Dramaturg bei der DEFA mit an der Verfilmung von *Die Toten bleiben jung* – wieder in Kontakt mit Seghers, über Prozeß und Haft sprach sie aber nie mit ihm.[326] Der Prozeß hatte den Zweck, in der DDR jeden Reformversuch im Gefolge des XX. Parteitages der KPdSU – und der Enthüllungen Chruschtschows über Stalin – zu ersticken und die Intellektuellen mundtot zu machen, was auch vorübergehend gelang. Vor allem für Anna Seghers, auf die es in diesem Fall besonders ankam, brachte er eine Niederlage, die ihr zu schaffen machte und nicht nur in der 1990 postum veröffentlichten Erzählung *Der gerechte Richter* Spuren hinterließ. Sich voll mit dieser Niederlage auseinandersetzen, das konnte sie jedoch nicht, weder damals noch später.

Lukács, den die Literaturtheorie der DDR bis dahin als richtunggebenden Lehrer angesehen hatte, verteufelte man nun als Revisionisten.

Georg Lukács und Walter Janka

Seghers blieb ihm privat in Liebe und Verehrung verbunden, wenn auch in den folgenden Jahren wenig Kontakt bestand. 1963, in einem Brief aus Brasilien, gesteht sie dem zu diesem Zeitpunkt aus der Partei Ausgeschlossenen: *Vielleicht schreibe ich gerade deshalb an Dich, in einem Gefühl von Fremdheit gegenüber meiner Umgebung u. einem großen Bedürfnis nach den Werten, die mein Leben ausmachen, u. aus Wärme u. Dankbarkeit für Vieles, was Du klar gemacht hast.*[327] Über literaturtheoretische Fragen hinaus scheint Seghers in Lukács – und seinem schwierigen, zwischen Widerstand und Unterwerfung schwankenden Verhältnis zur Partei – eine Treue zur *Sache* gesehen zu haben, in der sie selbst zunehmend Trost suchte.

Die Hauptsache war für Seghers, daß sich, wie sie glaubte, *etwas im Entstehen* befand, *etwas Dynamisches* und selbstverständlich auch *Widerspruchsvolles*[328]. Sie suchte *die Richtung auf etwas. Es kommt darauf an, trotz allem, trotz Hunger und Mißtrauen und Korruption, trotz der Fehler, die gemacht worden sind, diese Punkte herauszufinden, sie so herauszufinden, daß sie bleiben, die Punkte, die in die Zukunft gehen auf die Einheit, auf eine Zukunft, die anders gestaltet sein soll und anders werden soll, als das, was war und ist.*[329] Diese Worte der Seghers können ihre Haltung als Mensch und als Kulturfunktionärin weit über die Anfangszeit hinaus charakterisieren und sie – bis zu einem gewissen Grad – erklären, sie beziehen sich aber auf die Arbeit der Schriftstellerin. Das erzählerische Werk erhielt in den Nachkriegs- und Aufbaujahren durch den verstärkt erzieherischen und aufklärerischen Impuls, dem es entsprang, einen größeren Grad von Bewußtheit und vielfach wieder, wie in Texten der Weimarer Zeit, einen stark programmatischen und operativen Charakter, allerdings unter anderen Vorzeichen. Seghers wollte *diese in Veränderung begriffene Wirklichkeit* nicht nur abbilden, sondern durch *die Mittel ihres Berufes* mitgestalten.[330] Sie tat dies aber nicht mehr im Kampf gegen die herrschenden Mächte, sondern in prinzipieller Übereinstimmung mit ihnen: *Unser Leben und unsere Arbeit war von Anfang an ein Kampf mit unserem Staat und für unseren Staat*, erklärte sie selbst ihre fatale Identifikation.[331]

Erneut und intensiv beschäftigte sich Seghers mit wirkungsästhetischen Fragen, da sie meinte, gerade *der arrivierte Schriftsteller* müsse sich *mit dem Volk und mit den Problemen des Volkes verjüngen, denn sonst gehört er zum alten Eisen*[332]. Bis zu einem gewissen Grad akzeptierte sie damit die kulturpolitische Bevormundung der Partei-Funktionäre, die sogar angesehene Heimkehrer in den Griff bekommen wollten und unter anderem Seghers' Roman *Die Toten bleiben jung* bei seinem Erscheinen 1949 scharf kritisierten. Sie sah jedoch auch das echte Problem, das in den unterschiedlichen historischen Erfahrungen lag, von denen sie und das breite Publikum, an das sie sich wenden wollte, ausgingen. Der Großteil ihrer Leser hatte ja den Faschismus zumindest akzeptiert, wenn nicht unterstützt, und war keineswegs kommunistisch gesinnt. Seghers' Ant-

Ausgabe von 1948, erschienen als «Rowohlt-Rotations-
Roman» im Zeitungsformat.
Titelzeichnung von Werner Rebhuhn

wort auf dieses Problem war es, mehr als bisher Geschichten abzurunden,
Erklärungen zu liefern, die *Richtungslinie* explizit herauszuarbeiten. Ein
appellativer Ton tritt hervor. War sie früher davon ausgegangen, daß Autor und Leser *im Bunde sind, zusammen auf die Wahrheit zu kommen*,
wie sie noch 1947 als Vorwort für die erste deutsche Ausgabe ihres Romans *Die Rettung* (1937) sagte[333], so meinte sie jetzt: *Und die Wirkung auf
den Leser hängt davon ab, wieweit er ... die Lösung zu seiner macht.*[334] Die
Lösung war schon vorgegeben.

Die deutschen Leser nach dem Krieg lernten Seghers aber zunächst
aus ihrem Exilwerk kennen. Vor allem *Das siebte Kreuz* wurde – in Ost
und West – vielfach aufgelegt, 1946 bei Aufbau in Berlin, 1947 bei Desch

in München und 1948 bei Rowohlt als Rotations-Roman. Auch die erste große Neuveröffentlichung nach der Heimkehr, *Die Toten bleiben jung* (1949 bei Aufbau), war noch fast ganz ein Produkt des Exils, stammte jedoch aus der Zeit, in der sich Seghers in Gedanken bereits intensiv mit einem Deutschland nach Hitler beschäftigte. Der Roman schloß thematisch, motivisch und kompositorisch an frühere Werke an und leistete den großangelegten Epochenrückblick, auf den sie als Erzählerin hingearbeitet hatte. Gleichzeitig ging es Seghers aber mit ihrer Darstellung vom Weg Deutschlands in den Faschismus um jenes Bewußtmachen von Versagen und Schuld unter den Deutschen, das sie als vornehmlichste Aufgabe und Voraussetzung für einen Neuanfang betrachtete. Um so enttäuschender muß es für sie gewesen sein, daß das Buch bei seinem Erscheinen im Gründungsjahr der DDR nicht nur im Westen, sondern vor allem auch im Osten auf negative Kritik stieß. Mit der Staatsgründung begann man Gegenwartsthematik und «kämpferisch parteilichen Geist» zu fordern und warf Seghers vor, daß sie der Darstellung des «in die Zukunft gewandten politischen Kampfes» zu wenig Aufmerksamkeit gewidmet, die Schurken zu interessant, die Arbeiter zu schwächlich gezeichnet habe.[335]

In der Tat stellt der Roman Widerstand und Widerstandsmöglichkeiten der Deutschen, auch der Arbeiter, gegen den Aufstieg und die Herrschaft der Nationalsozialisten noch illusionsloser dar als frühere Werke der Seghers. Die Erschießung von zwei jungen Arbeitern, Vater und Sohn, am Anfang und Ende von *Die Toten bleiben jung* bildet dafür den symbolischen Rahmen: Nach der gescheiterten Revolution von 1918/19 töten reaktionäre Offiziere und Soldaten den Spartakisten Erwin kaltblütig. Sein zu diesem Zeitpunkt noch ungeborener Sohn Hans stirbt am Ende des Zweiten Weltkriegs durch die Hand eines der Mörder, des preußischen Junkers Fritz von Wenzlow, der in ihm den Vater wiederzuerkennen meint: *Der Tod schien ihm nichts anzuhaben… Wie aber war er jung geblieben!*[336] In dieser zentralen Metapher, die den Buchtitel erklärt, ist die Hoffnung ausgesprochen, daß die Kraft des Proletariats in allen Niederlagen jung und unbesiegbar bleibt. Die Wirklichkeit, die der Roman darstellt, ist jedoch eine andere. Seghers macht einen vaterlos aufwachsenden Jungen – Hans, den Sohn Erwins – zum Hauptrepräsentanten der deutschen Arbeiterklasse zwischen 1918 und 1945. Sie gibt ihm einen sozialdemokratischen Stiefvater und einen illegalen kommunistischen Freund, die beide den Jungen in entscheidenden Momenten allein lassen.

Szenen aus der DEFA-Verfilmung von «Die Toten bleiben jung», 1968:
Hans Geschke (Klaus-Peter Pleßow, rechts) mit einem schwer verletzten Kriegskameraden
Ernst von Lieven (Kurt Kachlicki, Mitte) stellt seiner Frau einige Kameraden vor

Obwohl sich Hans zu einem Gegner der Nazis entwickelt, bleibt ihm keine andere Wahl, als Soldat in Hitlers Armee zu werden und – isoliert und ohnmächtig – zu *gehorchen*[337]. Damit gibt Seghers eine Interpretation der Geschichte in der ersten Hälfte des 20. Jahrhunderts, die die Schwäche des deutschen Proletariats während dieser Zeit hervorhebt. Indem Vater und Sohn durch Mord sterben, werden sie jedoch zu Opfern erklärt. Fehler der Arbeiter selbst werden nur an der Figur des Sozialdemokraten Geschke – als versäumte Verständigung zwischen Kommunisten und Sozialdemokraten – thematisiert. Geschke gibt sein langjähriges Mißtrauen gegen die Kommunisten erst auf, als es zu spät ist, womit Seghers den Zusammenschluß zur SED von 1946 als richtige Lösung deutet. Hoffnung und Erwartung richten sich ganz auf die Zukunft, für die das noch ungeborene Kind von Hans, der wie sein Vater eine schwangere Freundin zurückläßt, zum Symbol wird. Mit der Wiederholung dieses Motivs appelliert Seghers an die Deutschen der Nachkriegszeit, dem Kind bessere Chancen zu bieten als die Weimarer Republik dem Vater.

Im Zentrum der proletarischen Handlung stehen nicht die Männer, sondern eine Frau, Marie Geschke, die Geliebte Erwins und Mutter von Hans. Sie erinnert an Mädchenfiguren aus frühen Werken der Seghers, erweist sich jedoch als wesentlich weniger zerbrechlich. Marie besitzt jene *Kraft der Schwachen*, die die Autorin seit dem Exil zunehmend bei Frauen findet, auf die sie allerdings vor allem dann zurückkommt, wenn die Handlungsmöglichkeiten beschränkt sind, wenn es darum geht durchzuhalten.

In weiteren Erzählsträngen, die nur durch das Rahmengeschehen miteinander und mit der proletarischen Handlung verbunden sind, verfolgt die Erzählerin das Schicksal der Mörder. Jeder von ihnen verkörpert eine der sozialen Schichten, denen Seghers die Verantwortung für den Aufstieg und die Massenbasis des Nationalsozialismus zuschreibt. Die Rolle, die eine Figur bei der Erschießung übernimmt, steht symbolisch für diejenige, die ihre Schicht bei der «Hinrichtung» Deutschlands spielt. Es sind der rheinische Großindustrielle Klemm, der preußische Junker und Berufsoffizier Wenzlow, der dekadente baltische Adelige von Lieven, eine die Auseinandersetzung mit Jünger und Dwinger fortsetzende Figur, weiter der Chauffeur Becker und der Wachsoldat und märkische Kleinbauer Nadler. Seghers, die bisher vor allem die Vorbedingungen und Prädispositionen für den Nationalsozialismus unter Kleinbürgern untersucht hatte, bemühte sich nun, ein Gesamtbild zu geben und die herrschenden Klassen in ihre Analyse miteinzubeziehen. Der soziologische Schematismus ihres Grundkonzepts ist unleugbar. Doch siedelt Seghers um die Hauptrepräsentanten, an denen sie klassenspezifische Züge hervorhebt, ein reiches Figurenensemble von Verwandten und Freunden an, bei denen sie stärker differenziert und nuanciert, so zum Beispiel in ihrer Darstellung der verschiedenen Mitglieder der Familie von Wenzlow, an denen sie auch andere, dem Faschismus widerstehende Traditionen aufzeigt; den 20. Juli 1944 klammert sie allerdings aus.

Keiner der Mörder überlebt, aber die Verbündeten Klemms, Kommerzienrat Castricius und Justizrat Spranger, Vertreter des Kapitals, für die die Nazis ohnehin nur halbwegs brauchbare Werkzeuge waren, knüpfen schon vor Kriegsende ihre Westkontakte wieder an. Seghers läßt die Fronten des Kalten Krieges direkt aus dem Vergangenen hervorgehen. Folgerichtig nimmt sie in ihren DDR-Romanen *Die Entscheidung* (1959) und *Das Vertrauen* (1968) die Figurengruppe um Castricius wieder auf, nicht dagegen den proletarischen Handlungsstrang, der die Ohnmacht der deutschen Arbeiter hervorhob. Sie wählt dann statt dessen die heroische Tradition der Internationalen Brigaden im Spanischen Bürgerkrieg, die der in *Die Toten bleiben jung* gegebenen Interpretation der deutschen Geschichte – und der Nachkriegswirklichkeit der meisten Arbeiter – aber nicht entsprach.

Im selben Jahr wie der Roman *Die Toten bleiben jung* erscheinen zwei Erzählungen, *Die Hochzeit von Haiti* und *Wiedereinführung der Sklaverei in Guadeloupe*, die 1962 durch einen dritten, ursprünglich gleichzeitig mit den ersten zwei geplanten Text, *Das Licht auf dem Galgen*, ergänzt und als *Karibische Geschichten* zusammengefaßt wurden. Seghers folgte damit ihren bereits in Mexiko als große Chance verstandenen Plänen, die Exilbegegnungen mit fernen Ländern nach der Rückkehr für die Heimat produktiv zu machen und *die fremden Völker als den Beitrag der Erde zur Menschheit darzustellen*[338]. Bis ins hohe Alter sollte sie nicht nur daran festhalten, sondern darin auch zunehmend Zuflucht vor der eigenen Gegenwart suchen.

Das Interesse der Seghers an den Antillen-Inseln war geweckt worden, als sie auf der Fahrt ins mexikanische Exil zuerst auf Martinique, dann in Santo Domingo Aufenthalt nehmen mußte. Später studierte sie die Geschichte der Region und befaßte sich vor allem mit der Rolle, die die Französische Revolution mit ihren Freiheitsideen für die schwarzen Sklaven gespielt hatte. Ihr Blick ist stark eurozentristisch.[339] Mehr als sonst bei ihr erscheint aller Kampf gegen Unterdrückung abhängig von Ideen und Führern, die von außen kommen, eben aus Europa. Von Toussaint, dem überragendsten der schwarzen Charaktere, heißt es zum Beispiel: *Die weiße Kultur erschien ihm ein strahlendes, unermeßliches Schloß. In seine armselige Knabenjahre war davon ein Abglanz gefallen, der ihm das Leben wert gemacht hatte. Man durfte sie nie geringschätzen, weil sie von den Weißen ausgedacht war. In einem besseren Leben mußte man alle Menschen daran teilnehmen lassen. Man mußte denselben Abglanz auf alle Leben fallen lassen.*[340] In jeder Novelle kommt der Befehl zur Sklavenbefreiung aus Frankreich, wie mutig und verzweifelt Schwarze dann auch um ihre Freiheit kämpfen mögen. Erzählstruktur und -perspektive unterstreichen den Blick von außen noch. Es sind Weiße, die jeweils im

Schiller-Ehrung in Weimar, 1955: Anna Seghers und Thomas Mann

Mittelpunkt stehen, und es ist Europa, in das die Botschaft vom Helden-
tum der schwarzen, braunen und weißen Revolutionäre und der Funke
ihres im historischen Moment noch nicht siegreichen Kampfes um die
Sklavenbefreiung zurückkehrt. Seghers impliziert deutlich die Notwendigkeit einer weiteren, der sozialistischen Revolution. Daß in diesem

Glauben an eine unteilbare, von Europa ausgehende und für alle gleich gültige Weltrevolution auch ein Herrschaftsanspruch über andere Völker und Rassen steckte, dessen war sich Seghers offensichtlich nicht bewußt. Ein solches Bewußtsein hätte die politischen Traditionen, in denen sie wurzelte, und den absoluten Führungsanspruch der Partei unter Berufung auf Moskau grundsätzlich in Frage gestellt. Erst Heiner Müller, ihr jüngerer, für die Problematik dieser Tradition sensibler Landsmann, hat 1975, in seinem Stück «Der Auftrag», das an *Das Licht auf dem Galgen* anknüpft, diese Themen aufgenommen.

Seghers brachte in die exotischen Schauplätze Lateinamerikas – mit ihren *unbekannten Gestalten und abgelegenen Begebenheiten, in denen sich oft noch greller und schärfer als bei uns, unter anderen Sternen ausdrückt, was auch uns in Atem hält*[341] – bewußt Bezüge zur aktuellen Gegenwart ein. In den *Karibischen Geschichten* suggeriert sie Parallelen zwischen der Sklavenbefreiung während der Französischen Revolution und der Befreiung vom Faschismus nach dem Zweiten Weltkrieg. Erstere stand unter dem Patronat des Konvents, letztere bedurfte der Hilfe der Sowjetunion. Napoleon aber, der die Sklaverei wiedereinführte, verkörpert jene Rückkehr des Alten, die Seghers in ihrer Zeit im Westen sah und vor der sie ihre Leser im Osten warnen wollte. So erzählt *Die Hochzeit von Haiti* vom Aufstieg und Fall des schwarzen Herrschers Toussaint Louverture, dem es zwar gelingt, auf seiner Insel ehemalige Sklaven, Mulatten und Weiße mit guten Gesetzen und weiser Führung zu fruchtbarer Zusammenarbeit zu bewegen. Gegen die Übermacht und den Verrat Napoleons kann er sich jedoch nicht behaupten. Während er mitansehen muß, wie statt der erhofften Bestätigung seiner egalitären Verfassung die napoleonische Kriegsflotte auf der Insel landet, läßt ihn die Erzählerin eine Verpflichtung zur Macht aussprechen, die sich auch auf die eigene Gegenwart und die SBZ/DDR bezog: *Er wußte plötzlich, daß die besten Gedanken keinen Bestand haben konnten, wenn sie die Macht nicht hinter sich hatten.*[342] Solche «realpolitischen» Überlegungen bestimmten offensichtlich Seghers' Haltung zu ihrem Land und zur Sowjetunion und ließen sie schweigen, wo Kritik am Platz gewesen wäre. Sie meinte, den jungen Staat und damit die Chancen für einen Neuanfang unterstützen und auf die Stärke des «großen Bruders im Osten» bauen zu müssen.

Wesentlich anderer Art sind die Gegenwartsbezüge in der erst 1959, nach der Fertigstellung von *Die Entscheidung* wiederaufgenommenen Erzählung *Das Licht auf dem Galgen*. Seghers sagt zwar: *Im großen und ganzen blieb der Entwurf derselbe*[343], doch reflektiert die Verarbeitung ihres Materials jetzt die Erschütterungen, die sie in der Zwischenzeit erfuhr, und die Art, wie sie damit menschlich und erzählerisch fertig zu werden suchte. Das Schwergewicht dieser Erzählung liegt darauf, daß die französische Regierung während der Revolution zwar den *Auftrag, die Befreiung der Sklaven auf dieser Insel vorzubereiten*[344], gibt, ihn aber un-

111

ter Napoleon wieder zurücknimmt, daß die Machtverhältnisse sich also ändern können. Einfache Menschen wie der Matrose Malbec und der Jude Sasportas erfüllen jedoch unbeirrbar und treu ihren ursprünglichen *Auftrag*, weil er ihnen eine tiefe innere Notwendigkeit ist. Daß Seghers ihren Helden Sasportas, eine historische Figur, ausdrücklich als Juden identifiziert, was in ihrem Werk sonst selten vorkommt, mag mit den Prozessen der fünfziger Jahre und den damaligen Anklagen zu tun haben. Man kann in *Licht auf dem Galgen* eine erzählerische Ehrenrettung der Juden im Kommunismus sehen. Durch räumliche und zeitliche Distanz verfremdet, repräsentiert Sasportas – der sich wesentlich von der antisemitischen Klischees nahen Zeichnung der jüdischen Juweliere Vater und Sohn Nathan in *Die Hochzeit von Haiti* abhebt – die unverbrüchliche, Machtkämpfe und -veränderungen durchleidende und überdauernde Treue zur *Sache*. Sie wird in den sechziger Jahren zu einem wichtigen Thema und bestimmt die Sicht auf jüdische Genossen wie Lukács, aber auch auf die eigene Situation.

Im bewußten Gegensatz zu den «Männergeschichten» über die Karibik wählt Seghers in der 1951 veröffentlichten Erzählung *Crisanta* ein Frauenleben, um ihren Lesern *fremde Völker* näherzubringen. Sie verarbeitete darin mexikanische Eindrücke, Selbsterlebtes und Kunsterfahrung. Eine Mutter mit Kind im Umschlagtuch zeigt z. B. ein bekanntes Bild des von ihr bewunderten Malers David Alfaro Siqueiros; es kehrt als Motiv in *Crisanta* wieder. Wie so viele ihrer weiblichen Figuren läßt Seghers die Heldin Crisanta ein «gewöhnliches» Frauenschicksal erfahren, ein hartes Dasein, dessen Grundmuster überall gleich ist. Doch gelingt es Seghers in der Erzählung zu vermitteln, was sie über das Lokalkolorit hinaus spezifisch mit Mexiko verband. Mit den Augen der Fremden hatte sie unter der einheimischen Bevölkerung ihres Gastlandes eine die ungeheure Armut transzendierende, besondere Art der Verwurzelung gesehen, die sie nun rückblickend mit der Nostalgie derjenigen zeichnet, die sich auch daheim nicht ganz zu Hause fühlt: *Crisanta steckte ihren Kopf schnell unter das Tuch zu dem Kind. Die Menschen drängten undeutlich im Staub vorbei. Auf einmal fiel ihr der Ort wieder ein, an dem sie als Kind gewesen war. Das unvergleichliche, unbegreifliche tiefe und dunkle Blau. Das war der Rebozo, das Umschlagtuch der Frau González gewesen, und was dahinter strömte, ihr Volk.*[345] Blau, die Farbe, die in der deutschen literarischen Tradition mit romantischer Sehnsucht verbunden ist, wird zum Symbol für echte Heimat und tiefe, fraglose Zugehörigkeit. Sehr leise weist die Autorin damit auf das für sie stets wichtige, aber in der DDR auf viele Jahre diskreditierte Erbe der Romantik hin, bei dessen Wiederentdeckung und teilweiser Rehabilitierung sie später – von der Mitte der sechziger Jahre an – eine nicht unwichtige Rolle spielte.

Seghers zögerte nach der Rückkehr relativ lange, Stoffe aus der zeitgenössischen Wirklichkeit zu behandeln. *Ich wollte, als ich hierherkam, für*

Bauernmutter. Ölgemälde von David Alfaro Siqueiros, 1929

einige Zeitungen im Ausland Schilderungen von Deutschland machen. Ich hätte solche Artikel schreiben können, wie ich wollte. Doch jeder Artikel wurde mir selbst fragwürdig, noch ehe er fertig war. Ein jedes einzelne Bild wäre richtig gewesen. Doch war das die Wahrheit über Deutschland?[346] So erklärte sie 1947 ihre Zurückhaltung. Unter den Manuskripten im Seghers-Archiv befinden sich solche weggelegten Versuche, Skizzen, die vor allem die Situation von Frauen und Kindern in Nachkriegsdeutschland zu erfassen suchten. Die ersten veröffentlichten Texte, auch sie wurden zum

Teil nicht sofort publiziert, stellen aber Männer in den Vordergrund, so die zwei größeren Erzählungen *Die Rückkehr* (von 1949) und *Der Mann und sein Name* (1952).[347] Es sind Heimkehrer- und Aufbaugeschichten, in denen es Seghers nicht um die bereits Überzeugten, sondern um Desinteressierte und Mißtrauische (in *Die Rückkehr*) und um ehemalige Gegner (einen jungen SS-Mann in *Der Mann und sein Name*) geht. Sie stellen exemplarische Veränderungsprozesse dar, die eindeutig und allgemein verständlich auf eine neue, bessere Gesellschaftsordnung zustreben und nur im Osten vor sich gehen.

Obwohl Seghers Frauen in diesen Prozessen eine äußerst wichtige Rolle zuschreibt, ja, an sie, ihre Kraft, Einsicht und Güte – wie viele Nachkriegsautoren in Ost und West – besonders hohe Erwartungen stellt, wird die Führung der Männer nicht angezweifelt. Auf sie kommt es letztlich an. Seghers präsentiert nicht jene «positiven Helden», die die Literaturkritik der DDR einzufordern begann, doch leben ihre Charaktere vor, wie und warum sich jemand – trotz Schwierigkeiten, trotz berechtigter Vorsicht gegenüber Versprechungen und Schlagworten und trotz oft besserer Arbeits- und Lebensbedingungen im Westen – für den Osten entscheidet. Die Gründe werden nicht diskursiv vermittelt, sondern im emotionalen Appell. Wenn es darum geht, daß Figuren ihre Entscheidung erklären oder andere überzeugen sollen, befällt sie «Sprachlosigkeit»[348]. Dieses Motiv findet sich schon in *Die Rückkehr*, in der ein Rußland-Heimkehrer seine Familie in der SBZ verläßt, um im Westen ohne die *schönen Losungen* der *Russen* in Ruhe Arbeit und Auskommen zu suchen. Er bleibt jedoch nicht. Was ihn zu seiner *Rückkehr* in den Osten bewegt, kann er aber nur in banalen, ihn selbst nicht befriedigenden Worten ausdrücken: *«Ich habe es nicht mehr aushalten können, weil – wie soll ich dir sagen, es war mir zumute, als –» Er zögerte, aber es fiel ihm nichts anderes ein: «als hätte ich meine Zukunft gegen Bohnenkaffee getauscht.»*[349]

Auch später, in *Die Entscheidung*, gelingt es dem wesentlich besser gebildeten Ingenieur Riedl nicht, seiner Frau Katharina zu vermitteln, was ihn im Osten hält. Mit dieser «Sprachlosigkeit» macht Seghers die Entscheidung letztlich zu einer existentiellen. Gerade die Tatsache, daß das Leben in der SBZ/DDR schwieriger ist und dem einzelnen zunächst viel an Einsatz und Hingabe abverlangt wird, erscheint bei Seghers, die stets die Notwendigkeit des Opfers betont hat, als Garantie dafür, daß die *Richtung* stimmt, daß etwas wirklich Neues beginnt. Trotzdem vertraut sie nicht wie früher bei den Themen von Aufruhr und Widerstand darauf, daß der Wert des Opfers im Erzählten selbst evident wird. Im Nachkriegs- und Spätwerk belohnt die Erzählerin Hingabe und Anstrengung häufig mit einem glücklichen Ende. In *Der Mann und sein Name* zum Beispiel erhält der junge SS-Soldat, der zunächst unter falscher Identität in die neue Gesellschaft hineinwächst, sich dann aber zu seinem eigenen Namen bekennt und noch einmal ehrlich von vorn anfängt, am Ende ein treues, politisch «einwandfreies» Mädchen. Mit den Worten: *Sie werden sich liebhaben. Es wird nicht leicht sein*[350], endet diese Erzählung mit ihrer – wie in anderen Werken der Nachkriegszeit – relativ breit ausgesponnenen und konventionellen Erzählmustern folgenden Liebeshandlung.

Im Jahre 1953 gelang Seghers die Verwirklichung ihres lange gehegten Planes, eine *sehr große Novellen-Sammlung* herauszubringen (*Der Bienenstock. Ausgewählte Erzählungen in zwei Bänden*) und damit zum erstenmal die

Zeichnung von Herbert Sandberg

Vielfalt ihrer kurzen Prosa überschaubar vorzustellen. Sie gab der Sammlung – mit Einleitung und Schlußerzählung – einen Rahmen, bei dem sie an die lange Tradition von Boccaccios «Decamerone» bis zu Goethes «Unterhaltungen deutscher Ausgewanderten» anknüpfte und ihren Glauben an die menschenverbindende und menschenverändernde Macht des Erzählens behauptete. Ausdrücklich hob sie hervor, daß Geschichten, um auf viele unterschiedliche Menschen wirken zu können, auch formal und inhaltlich verschiedenartig sein müssen. Seghers bot ihr eigenes Werk als Beispiel für ein mögliches, ja notwendiges Zusammenspiel von künstlerischer Vielfalt und politischem Engagement und lehnte auch in ihren Reden und Aufsätzen die *scholastische Arbeitsweise*[351], die *die Lehren und Anweisungen unserer Partei als Dogmen* ansehe und sie *schematisch genau in der Kunst* befolge, als *Gift* ab. *Denn sie bewirkt Erstarrung statt Bewegung, sie bewirkt Faulheit statt Initiative. Keine Erregung erschüttert den Leser solcher Bücher.*[352] Ihre Kritik – in der Publizistik wie auch in Erzählungen und Romanen – richtete sich jedoch stets auf einzelne Menschen und deren Fehlverhalten, in diesem Fall auf Schriftsteller, die *nach Schema* arbeiteten, nicht auf die Partei und das gesellschaftliche System, die Kunst und Künstler instrumentalisierten.

Im allgemeinen nahm Seghers kulturpolitische Forderungen durchaus ernst, versuchte sie aber abzumildern und «kunstgerecht» zu machen. So stellte sie sich in der zweiten Hälfte der fünfziger Jahre auf ihre Weise dem Ruf nach Betriebsliteratur. Er wurde mit dem «Nachterstedter Brief» vom Januar 1955 – der vorgeblich von den Arbeitern eines Braunkohlenwerks stammte – als Wunsch der Basis ausgegeben und mit dem VI. Schriftstellerkongreß 1956 und der Bitterfelder Konferenz 1959 zur Norm erklärt. Prinzipiell sollte die Literatur die Arbeiter zu größerer Leistung und zur begeisterten Mitarbeit am Aufbau anspornen. Seghers, die öffentlich auf den Brief antwortete, widersprach nicht, differenzierte aber, indem sie die Akzente versetzte. Sie bestand darauf, daß der Schriftsteller *nicht nur den Aufbau eines Betriebs oder einer Stadt darstellen* solle, *er soll darstellen, was sich im Innern der Menschen zuträgt, die am Aufbau beteiligt sind. Was sie anspornt und was sie hemmt.*[353]

Damit drückte sie das eigene Programm für den großen Roman aus, mit dem sie bereits 1954 begonnen hatte und auf den sie bis zu seinem Erscheinen 1959 fast ihre gesamte künstlerische Energie verwendete, *Die Entscheidung*. 1968 ließ sie als Fortsetzung *Das Vertrauen* folgen. Es sind die einzigen Romane, die Seghers in den mehr als 30 Jahren nach der Heimkehr schrieb. Die vielen öffentlichen Verpflichtungen, zunehmendes Alter und Krankheit mögen Gründe dafür gewesen sein, aber auch, zumindest bei der Fertigstellung von *Das Vertrauen*, Unzufriedenheit mit dem Geleisteten. Seghers' langsame Annäherung an ihren Stoff, die erneuten Tolstoj-Studien 1954 auf einer Reise in die Sowjetunion, ihre publizistischen Äußerungen und die Tatsache, daß sie so lange daran arbeitete, alles deutet darauf hin, daß sie die Romane als ihre eigene Entscheidung und Bewährung betrachtete und besonders sorgfältig vorging, aber auch Schwierigkeiten wie nie zuvor hatte. Das Material, die unmittelbare Zeitgeschichte, widersetzte sich der Erzählerin in zunehmendem Maße.

Im Zentrum der *Entscheidung* stehen drei ehemalige Spanien-Kämpfer und Freunde, Robert Lohse, Richard Hagen und Herbert Melzer, die die drei für den Aufbau einer sozialistischen Gesellschaft als wesentlich angesehenen Gesellschaftsgruppen, Arbeiter, Planer/Leiter und Intellektuelle/Künstler vertreten. Die überragende, zu der Zeit ungewöhnliche Bedeutung, die die Autorin dem Motiv vom Spanischen Bürgerkrieg in dem Roman gibt, setzt den Neuanfang in der DDR in direkten Bezug zu dem von Seghers bewunderten *bewaffneten Kampf* der Spanier, der *die Menschen bis ins Innerste verändert und stärkt und umformt*[354], der aber den Deutschen gegen Hitler nicht gelungen war. Mit der Vergangenheit ihrer drei Protagonisten deutet sie an, daß der Aufbau der DDR eine Fortsetzung dieses heroischen Kampfes mit anderen Mitteln ist und den DDR-Deutschen die große Chance – aber auch die moralische Verpflichtung – gibt, das Versäumte gutzumachen und die soziale Vision, für die die spanischen Republikaner und die Interbrigaden noch erfolglos

Thomas auf der Flucht. Unveröffentlichter Abschnitt aus dem III. Kapitel
des Romans «Die Entscheidung»

kämpften, zu verwirklichen. Seghers betonte in ihren Äußerungen zum
Spanischen Bürgerkrieg auch die Massenbeteiligung und -begeisterung,
die er inspirierte. So dient das Spanien-Motiv zugleich als mahnender
Hinweis, daß Vergleichbares in der DDR fehlt. Die Gründe für diese
Schwäche werden im Roman allerdings der mangelnden Überzeugungs-

kraft von Menschen wie Richard Hagen zugeschrieben, nicht dem Fehlen demokratischer Grundlagen.

Mir war die Hauptsache, zu zeigen, wie in unserer Zeit der Bruch, der die Welt in zwei Lager spaltet, auf alle, selbst die privatesten, selbst die intimsten Teile unseres Lebens einwirkt… Keiner kann sich entziehen, jeder wird vor die Frage gestellt: Für wen, gegen wen bist du. – Das wollte ich an verschiedenen Menschenschicksalen zeigen.[355] Mit der tragischen Liebesgeschichte von Katharina und ihrem Mann, dem Ingenieur Riedl, versinnbildlicht Seghers die Härte dieses *Bruches*, die auch diejenigen trifft, die einander lieben und eigentlich das gleiche – und Gute – wollen. Nur auf die *Entscheidung* – für die SBZ/DDR – kommt es letztlich an. Sie wird keineswegs als selbstverständlich betrachtet und läßt sich auch nicht erzwingen. *Mit Plakaten und Anschlägen, mit Zeitungen und Befehlen war das Land überschwemmt.*[356] Gerade damit, so ein wichtiges Thema des Romans, wird wenig erreicht angesichts der wirklichen Probleme, die Seghers stärker hervorhebt als andere Schriftsteller zu dieser Zeit. Mißtrauen und Desorientierung in der unmittelbaren Nachkriegszeit, mangelnde Fähigkeiten unter den Leitern, die Arbeiter von der Notwendigkeit und Richtigkeit ihres Programms zu überzeugen, die Intoleranz mancher, die schwere Arbeit und die schlechten materiellen Bedingungen vieler, all diese Faktoren machen es schwer zu sehen, daß *etwas Neues* im Gange ist. Eine Einsicht ist in erster Linie Akt des Glaubens, der Sinnfindung *in dem dreckigen Leben*, das der Krieg zurückgelassen hat. Die richtige Entscheidung führt, wie immer bei Seghers, in eine Gemeinschaft, die falsche in die Isolation.

Die Erzählerin vermeidet es, das Positive, Neue in viel mehr als Ansätzen – hauptsächlich von Solidarität – zu zeigen, sie betont vor allem, *daß nichts abgeschlossen war*[357]. Darin liegen Hoffnung und Warnung des Romans zugleich. In den Erwartungen an die Zukunft steckt die Angst vor dem Rückfall, die der Westen plakativ deutlich repräsentiert. Großindustrielle um den Kommerzienrat Castricius haben ihre alten Betriebe und ihren Einfluß erhalten, ja vergrößert, und betreiben mit Hilfe ehemaliger SS-Offiziere – hier folgt Seghers der Parteilinie – Sabotage und Abwerbung im Osten, um auch dort Besitz und Macht zurückzubekommen. Nicht Sabotage ist jedoch das Ausschlaggebende, sondern das *gewöhnliche Leben* in der DDR und das Verhalten der Menschen darin.

Die Chance eines Neuanfangs durfte nicht vertan werden. Das bekräftigte Seghers auch mit den affirmativen Erzählungen *Brot und Salz* und *Vierzig Jahre der Margarete Wolf* (1958), die während der Arbeit an dem Roman entstanden. Die erste erklärt den Ungarn-Aufstand einfach zur Konterrevolution, die sofort die alten Besitzverhältnisse wiederherstellt. Die zweite verfolgt den Lebensweg der Schwester des Kommunisten Wallau aus dem *Siebten Kreuz*. Er hat ein Happy-End in der DDR, in einer für Seghers nun charakteristisch simplen Gleichsetzung von individuel-

1960

ler und historischer Entwicklung. Die Ich-Erzählerin faßt noch einmal zusammen: *Wenn ich hier um mich sehe, dann sehe ich soviel, wovon Gustav gesagt hat, so muß es bei uns werden. – Er ließ sich dafür totschlagen, damit es so wird.*[358] Aus heutiger Sicht, nach dem Ende der DDR, enthalten diese Worte eine traurige Ironie. Die hatten sie für Seghers trotz der Enttäuschungen der fünfziger Jahre nicht. Sie zeigen jedoch in ihrer summarischen Behauptung des Positiven bereits die Anstrengung hinter den Versuchen der Erzählerin, die Hoffnung auf eine Verwirklichung ihrer Vision vom neuen Deutschland aufrechtzuerhalten, eine Anstrengung, mit der sie ihre Kunst nun häufig überforderte. Selbst ein DDR-Interpret vermißte in *Die Entscheidung* die «Buntheit der Fülle der Lebensäußerungen und Details»[359] früherer Romane.

«Leben auf dem anderen Ufer»

Anna Seghers' Hauptreferat zum V. Schriftstellerkongreß der DDR im Mai 1961, *Die Tiefe und Breite in der Literatur*, schließt mit den Worten: *Auf dem anderen Ufer der Zeit entstehen neue Städte, eine Gesellschaft ohne die alten Leiden und Seuchen und Kriege. Dabei entstehen auch unsere Bücher... einige sind schon gediehen, sind schon reif; viele sind noch rauh und ungleichmäßig. Aber etwas haben sie alle gemeinsam: was sie schreiben, das ist die erste Botschaft in deutscher Sprache über unser Leben auf dem anderen Ufer.*[360] Die weitere Entwicklung, auch die eigene, widersprach dieser hoffnungsvollen Prognose. Im August schloß der Bau der Berliner Mauer dieses *andere Ufer* gänzlich vom Westen ab. «Ankunft im Alltag» (des Sozialismus) nach dem gleichnamigen Roman von Brigitte Reimann wurde in den sechziger Jahren zu einem Schlagwort für die DDR-Literatur, die sich allerdings weniger als *Botschaft* denn als Selbstbefragung und -kritik zu verstehen begann. Das Alterswerk von Anna Seghers aber ist gekennzeichet von einem tiefen Konflikt zwischen ihrer im bisherigen Leben angelegten Sehnsucht, *Botschaft* zu bringen, und der von der Wirklichkeit geforderten Notwendigkeit, Kritik zu leisten.

In der offiziellen Kulturpolitik der DDR nach 1961 herrschte ein häufiges Auf und Ab: Zunächst Gewähren relativer Freiheit in Fragen der Kunst und dann deren Zurücknahme, sobald die Partei die Kontrolle zu verlieren glaubte. Die Jahre 1963 (mit der Anti-Tauwetter-Rede Ulbrichts), 1965 (mit der strengen Verurteilung aller modernistischen und «skeptizistischen» Strömungen auf dem 11. Plenum des Zentralkomitees der SED), 1969 (mit den Angriffen auf Rainer Kunze und Christa Wolf auf dem VI. Schriftstellerkongreß der DDR) und 1976 (mit der Ausbürgerung Wolf Biermanns und deren Folgen) markierten Tiefpunkte. Sie konnten jedoch das Entstehen einer DDR-Literatur, in der kritische Tendenzen zunahmen, die Moderne rezipiert und der Begriff des kulturellen Erbes erweitert wurde, nicht aufhalten. Seghers stand hinter dieser Entwicklung – auf ihre vorsichtig vermittelnde Art. Zu offenen Gesten des Protests war sie weiterhin nicht bereit, im Fall Biermann machte sie sogar im «Neuen Deutschland» darauf aufmerksam, daß sie – entgegen Gerüchten im Westen – den Brief einer Reihe von DDR-Schriftstellern ge-

Mit Erich Honecker und Walter Ulbricht, 1965

gen die Ausbürgerung des Liedermachers nicht unterstützt habe. Sie erinnerte aber auch an Majakowskis Satz, *Ein Talent ist der empfindlichste aller Stoffe* [361], und schenkte Christa Wolf, dem wohl bedeutendsten Talent unter den jüngeren Schriftstellerinnen ihre – allerdings etwas distanzierte – Freundschaft. Wolf setzte sich in zahlreichen Gesprächen, Aufsätzen und Ausgaben, so der ersten wichtigen Sammlung von Reden und Essays der Seghers, *Glauben an Irdisches* (1969), mit Leben und Werk der Älteren auseinander und erfuhr den, wie sie sagt, «seltenen Glücksfall, daß ein anhaltendes, eindringliches Interesse an einem von Grund auf anderen Lebensmuster mir erlaubt hat, Genaueres über mich selbst zu erfahren» [362]. Mit ihren Interpretationen begann Wolf, die Schwerpunkte im Seghers-Bild der DDR zu verschieben und unter Berufung auf das Exilwerk der Hochangesehenen größere künstlerische Freiräume und Möglichkeiten für sich und andere zu reklamieren.[363] Ihre Bewunderung hinderte Wolf aber auch daran, das Rollenmodell, das die Ältere bei aller Verschiedenheit für sie war, kritisch zu hinterfragen.

Wenn Anna Seghers sich öffentlich äußerte – manchmal schwieg sie auch unübersehbar, so zum Beispiel bei der internationalen Kafka-Konferenz 1963 in Liblice bei Prag und auf dem VI. Schriftstellerkongreß 1969, wo sie kein Hauptreferat halten wollte –, unterschied sie sich in Inhalt und Sprache angenehm von denen, die sonst offiziell das Wort

121

führten und bei jeder Verschärfung mitmachten. Ein Beispiel ist ihr Vortrag *Die Aufgaben des Schriftstellers heute. Offene Fragen*, den sie im Jahr nach den Verboten und Maßregelungen von 1965 vor dem Schriftstellerverband hielt. Hier kehrt das zu diesem Zeitpunkt brisante Wort *offen* in vielen Assoziationen wieder. Seghers fordert *offene Aussprache*[364] und erklärt unter Hinweis auf ein *schönes* Gedicht von Johannes Bobrowski: *Die Phantasie verkümmert, wenn man sie unterschätzt und ihr jede Folgerungen abnimmt.*[365] Mit solchen Bemerkungen – und mit ihren eigenen Arbeiten – half sie, die Weichen zu stellen für eine in der Literaturpraxis und -theorie der DDR Mitte der sechziger Jahre einsetzende Neubewertung der Romantik, des Phantastischen und der offenen Formen. In der Rede von 1966 treten allerdings auch die Grenzen ihrer Liberalität klar zu Tage. Sie fragt zwar nach den vielen *Arbeiten, es waren vor allem Filme, die in der letzten Zeit zurückgezogen wurden*, erklärt jedoch: *Ist die Arbeit schädlich, womöglich gar feindlich? Dann darf sie nicht herauskommen. Ist sie jedoch von einem richtigen Standpunkt aus geschrieben und enthält gleichwohl Stellen, die Kritik nötig machen? Solche Arbeiten sollten veröffentlicht werden und offen diskutiert.*[366] Seghers lehnt demnach Zensur nicht grundsätzlich ab, sondern fordert nur eine dialogbereitere, weniger strenge Zensur. An der Schaffung einer Gegenöffentlichkeit, um die sich jüngere DDR-Autoren wie Volker Braun, Günter de Bruyn, Christoph Hein, Heiner Müller und Christa Wolf seit den späten sechziger Jahren bemühten, beteiligte sie sich nicht.

Im Sommer des Mauerbaus befand sich Seghers selbst auf einer großen Brasilien-Reise, bei der sie den befreundeten Schriftsteller Jorge Amado und seine Frau Celia besuchte. 1963 folgte eine zweite Reise nach Brasilien, wohin ihr Mann gern ausgewandert wäre.[367] Sie blieben jedoch in der DDR, und Seghers bekannte sich weiterhin zu dieser Heimat. Sie richtete aber ihren Blick – und den ihrer Leser – im Spätwerk noch mehr als bisher nach außen und auf größere Zusammenhänge. Das *andere Ufer*, von dem Seghers nach 1961 *Botschaft* bringt, ist immer weniger die DDR-Wirklichkeit, sondern jene Welt des Friedens, der sozialen Gerechtigkeit und menschlichen Erfüllung, die in vielen Kulturen und Epochen vor allem im Glauben, Kampf und Opfer einzelner Menschen als utopischer Horizont aufscheint. Seghers suchte außerdem in anderen Ländern und deren Geschichte nach Momenten, in denen sich der Wert dieses Glaubens bereits historisch bestätigt hatte, um daran legendenhafte, Hoffnung vermittelnde Erzählungen anzuknüpfen, so an die Herrschaft Cárdenas' in Mexiko (in *Die Heimkehr des verlorenen Volkes*, 1965), an die politischen Veränderungen nach dem Tod Francos in Spanien (in *Wiederbegegnung*, 1977) und an den Sturz der Duvaliers in Haiti (in *Die Trennung*, 1980).

Seghers führte zwar zunächst, wie geplant und versprochen, *Die Entscheidung* mit *Das Vertrauen* (1968) fort, doch zeigt der zweite Roman Ermüdungserscheinungen. Von den anderen erzählerischen Arbeiten, es

Mit Christa Wolf, beim VII. Schriftstellerkongreß 1973

sind zwanzig, die ab 1961 noch zu Lebzeiten der Autorin erschienen, spielt lediglich eine, *Das Duell*, ganz in der SBZ/DDR.[368] Seghers versuchte nie die sogenannte «Ankunft im Alltag» ins Bild zu bringen, sondern schrieb nur über die unmittelbare Nachkriegszeit und die fünfziger Jahre. Die Entwicklung selbst dieser kurzen Zeitspanne sah sie kritisch. So läßt sie in *Die Überfahrt* eine Figur die *offenen und ehrlichen Meinungen* der Anfangszeit einem Heute gegenüberstellen, in dem *nach verhältnismäßig wenig Jahren die meisten jungen Leute nur vorbringen, was als richtig anerkannt wird*[369].

Doch auch an den Anfangs- und frühen Aufbaujahren zeigte Seghers jetzt Härte und Intoleranz und wies auf deren gefährliche Nähe zum Faschismus ausdrücklich hin. Es war ihre Auseinandersetzung – Abrechnung wäre zu viel gesagt – mit dem Stalinismus in der DDR. Sie hatte sich ebenfalls, aber im Vergleich zu anderen – wie Brecht, Becher, Stephan Hermlin oder Kuba (Kurt Barthel), dem Autor der «Stalin-Kantate» – weniger überschwenglich am Stalin-Kult der frühen fünfziger Jahre beteiligt. 1949 hatte sie in einer kleinen Erzählung, *Die Kastanien*, den Hitler-Stalin-Pakt noch nachträglich verteidigt. Auch die Prozesse 1952/53 und

Der Aufstand vom 17. Juni 1953, Thema des 1968 erschienenen
Romans «Das Vertrauen»

1956/57 hatte sie, wie wir sahen, ohne öffentlichen Widerspruch hinge-
nommen. Eine dogmatische «Scharfmacherin» war sie aber nie gewesen
sie hatte sich «nur» immer wieder gefügt. Nun versuchte sie, das Versager
jener Jahre anzusprechen, allerdings sehr verhalten.

Das wird in dem Roman *Das Vertrauen*, in dem Seghers den Arbeiteraufstand vom 17. Juni 1953 behandelt, deutlich. *Wieso kam es, daß die
Strengen, Unversöhnlichen viel Macht besaßen?*[370] So läßt sie ihren ju
gendlichen Protagonisten Thomas Helger denken. Eine wirkliche Ant
wort bleibt zwar aus, Seghers suggeriert aber Gemeinsamkeiten zur Nazi
zeit: *Im Schuldfinden, Denunzieren liegt auch was Faschistisches. Es wa
die Blüte in der Nazizeit*[371], sagt eine Figur. Auch die Episoden um der
Tod und die Ärzte Stalins im Roman weisen – über die Fragen von Tho

mas – auf mögliche Parallelen hin: «*Waren die denn Juden, die Ärzte?*» – «*Du meinst, jemand sei gegen die, so ähnlich wie bei dem Hitler?*» – «*Ach Quatsch, man hätte ihnen dann nicht den Stalin zur Behandlung überlassen.*»[372] Während Thomas von solchen Zweifeln tief beunruhigt wird, will seine Freundin Lina, ehemaliges BDM-Mädchen und nun intolerantes Mitglied der Freien Deutschen Jugend, davon gar nicht erst hören. Mit dem Hinweis auf Linas Vergangenheit läßt Seghers unbedingte Gefolgschaft suspekt, offene Fragen dagegen gut erscheinen.

Der Stalinismus kommt in dem Roman noch aus einer anderen Perspektive ins Bild. Die Erzählerin stellt dem ehemaligen Westexilierten, Spanien-Kämpfer und KZ-Häftling Richard Hagen den Werksleiter Ulsperger gegenüber, der die Nazizeit in der Sowjetunion verbracht hat. Während der eine von Überzeugen und Einsehen spricht, macht der andere *auf das I-Pünktchen, was man ihn tun heißt*, und gibt *Befehle*. Richard denkt von ihm: *Ulsperger war immer näher dran. Stalins Schatten, so ungeheuer, so mächtig, lag immer auf ihm, ich war weit von ihm weg.*[373] Die Sätze implizieren beides, die Macht der aus dem sowjetischen Exil Zurückgekehrten in der DDR und die Tatsache, daß diejenigen, die in Moskau durch die Schule des Stalinismus gingen – besonders wenn sie wie Ulsperger selbst unter Verfolgung litten –, hart und fest wurden. Seghers plädiert für Richards Methoden, relativiert aber ihre Kritik an Ulspergers Haltung, indem sie an ihm jene unverbrüchliche Treue zu den Zielen des Kommunismus demonstriert, auf die sie in ihrem Alterswerk immer wieder zurückkommt. Es ist eine Loyalität, die schwere Fehler der Parteiführung zwar nicht gutheißt, aber darüber den Glauben nicht verliert. Ungerechtigkeit wird vor allem am eigenen Leib erfahren und kann damit als Prüfung akzeptiert werden, ihre Ursachen liegen bei einzelnen fehlerhaften Menschen, nie im System selbst.

Seghers zeichnet den 17. Juni als eine – vom Westen mit Sabotage und Agitation unterstützte – Konterrevolution. Die Spanien-Bezüge, besonders das Lied des Thälmann-Bataillons («Spaniens Himmel breitet seine Sterne»), das zum Signal der Arbeiter für ihren Gegenschlag gegen die Streikenden wird, verbinden den Aufstand außerdem indirekt und in historisch verfälschender Weise mit der Militärrevolte Francos.[374] Diese parteitreue Deutung der Ereignisse ließ westliche Leser die im Roman enthaltene, aber – zum Beispiel im Vergleich zu Stefan Heyms Versuch einer Analyse in «5 Tage im Juni» (1974 in der BRD erschienen) – äußerst zurückhaltende Kritik an den Verhältnissen in der DDR meist übersehen. Seghers gibt die Hauptschuld am Aufstand durchaus nicht den westlichen Störungsversuchen, sondern den Problemen in der DDR selbst. Die sind jedoch nicht struktureller Art, sondern liegen bei den Menschen, bei Mißtrauen und Mißverständnis. Dagegen setzt die Erzählerin das im Titel angesprochene *Vertrauen*, eine Bitte an ihre Leser allgemein und an die Mächtigen unter ihnen im besonderen um mehr Verständnis und Toleranz füreinander. Sie läßt den Aufstand am Handlungsort Kossin nicht von russischen Panzern niederschlagen, sondern – wie Richard Hagen gehofft hat – von treuen Arbeitern, und suggeriert damit, daß die Fehler der Vergangenheit im Grunde bereits überwunden sind.

Die im Roman aufgezeigten Schwierigkeiten werden durch die Fabel gelöst. Seghers nimmt die Figuren aus der *Entscheidung* wieder auf und verfolgt ihre Schicksale während des Krisenjahres 1952/53, um sie am Ende – je nachdem, wie sie sich im Moment des Aufstandes verhalten haben – belohnt oder bestraft zu entlassen. Der individuelle Lebensweg der verschiedenen Charaktere soll die gesamtgesellschaftliche Entwicklung repräsentieren, das Happy-End die Zukunft der Gesellschaft versprechen. So beschließt ein Fest den Roman. Thomas Helger, der mit seinen «Fehltritten» – einer verbotenen Reise nach West-Berlin und der Verwicklung in eine Jugendbande –, aber auch mit seinem Mut während des Aufstands ins Zentrum der Handlung gerückt ist, bekommt am Ende das für ihn bestimmte Mädchen.

Ursprünglich hatte Seghers gedacht, sie *könnte in diesem Roman wichtige Ereignisse bis 1956 (XX. Parteitag der KPdSU und die Konterrevolution in Ungarn) oder 1958* verarbeiten. Als ihr das nicht gelang, trug sie sich mit einer Reihe von Fortsetzungsplänen.[375] Da nichts davon realisiert wurde und sie ihren Roman unter Zuhilfenahme vieler referierender Passagen eher schnell und summarisch zu Ende führte, liegt die Vermutung nahe, daß sie selbst über dem Schreiben ihr *Vertrauen* verlor, ausführen zu können, was sie sich seit der Heimkehr vorgenommen hatte, nämlich *die Richtung… die Punkte, die in die Zukunft gehen,* in der bestehenden DDR-Wirklichkeit zu erkennen und im Roman zu einem Gesamtbild zu formen. Jedenfalls hörte sie auf, es zu versuchen.

Während der Arbeit an dem Roman veröffentlichte Seghers 1965 eine Sammlung von Erzählungen unter dem Titel *Die Kraft der Schwachen.* Um diese Kraft, die sie gleichzeitig in *Das Vertrauen* – und im Spätwerk immer wieder – beschwört, geht es auch in der in dem Band enthaltenen Geschichte *Das Duell.* Zwei Lehrer der Nachkriegszeit stehen einander gegenüber. Der erste schafft trotz NS-Vergangenheit und Standesdünkel selbst im neuen Staat eine glänzende wissenschaftliche Laufbahn. Der zweite dagegen opfert sich für eine wirkliche Veränderung – die Ausbildung ehemaliger Arbeiter – auf und stirbt früh. Er macht keine große Karriere, nur *der kleine magere Sohn* hört *aufmerksam* zu, als ein ehemaliger Schüler der Mutter seine Dankbarkeit ausdrückt.[376] Seghers übernimmt hier Erzählmuster aus früheren Texten, in denen es um faschistische und andere ausbeuterische Gesellschaftsformen ging, und wendet sie auf einen SBZ/DDR-Stoff an. Die Parallelen sollen jedoch nicht auf ein Ineinanderwachsen von Faschismus und Stalinismus deuten, sondern nur auf den hohen Anspruch, den die neue Gesellschaftsordnung weiterhin an die «Guten» stellt, weil es darin noch viele «Böse» gibt. Heiner

Müller hat auch diesen Text von Anna Seghers «weitergeschrieben», im zweiten Stück seiner fünfteiligen «Wolokolamsker Chaussee». Er setzt sich ebenfalls – aber wesentlich härter – mit den Gemeinsamkeiten zwischen Faschismus und Stalinismus in der DDR auseinander und stellt von daher den Glauben der Seghers an den endlichen, wenn auch fernen Sieg des Neuen, Guten prinzipiell in Frage.

Von der Thematik und Struktur her, aber auch weil der erste Entwurf in einem handgeschriebenen Heft zwischen zwei Erzählungen steht, die in diesem Band erschienen (*Die Heimkehr des verlorenen Volkes* und *Der Führer*), gehört die 1990 nach der «Wende» schnell postum veröffentlichte Erzählung *Der gerechte Richter* ebenfalls in das Umfeld von *Die Kraft der Schwachen* und des Romans. Eine Niederschrift direkt unter dem Einfluß des Janka-Prozesses läßt sich keineswegs so selbstverständlich annehmen, wie es die Herausgeber mit den von ihnen angegebenen Entstehungsdaten tun.[377] Diese Erzählung befaßt sich am offensten mit dem Stalinismus und wendet am deutlichsten die Typologie und Ikonographie, die Seghers zur Darstellung ihrer Revolutionäre und Antifaschisten entwickelt hat, auf sozialistische Verhältnisse an: Jan, der nach 1945 Richter geworden ist, erhält den Fall eines ehemaligen Bekannten, des Spanien-Kämpfers Viktor Gasko, übertragen, der jetzt fälschlich der Sabotage beschuldigt wird. Als Jan sich weigert, eine von höchster Stelle geforderte, aber ungerechte Verurteilung vorzunehmen, kommt auch er ins Gefängnis. Nachdem beide Männer wieder in Freiheit sind – die Geschichte erklärt nicht warum –, heißt es in einem im Spätwerk der Seghers häufigen, das Geschehen sentenzhaft deutenden Erzählerkommentar: *Sie waren festgeblieben für sich und für alle, wenn sie dafür auch nicht gefeiert wurden, es blieb ein Sieg, ein ungefeierter...*[378]

Die Fragment gebliebene Erzählung zeigt, wie klar Seghers den Machtmißbrauch im Sozialismus sah und wie schmerzlich sie ihn als Widerspruch gegen die Idee der Gerechtigkeit empfand, der sie sich als junger Mensch verschrieben und die sie zum Kommunismus geführt hatte. Sie läßt Viktor Gasko im Gefängnis fragen: *...lohnt es sich noch zu leben?* Weder in Spanien noch *in den furchtbaren Tagen im Krieg* habe er den Glauben an *unsere Sache* verloren. *Und dann, dann kam, wie heißt es, die Verwirklichung unseres Traumes, und nicht nur unseres, uralter Menschenträume. Und dann geschieht uns, was wir erlebten, man sperrt uns ein... Wer? Warum? Und bei dem Befehl uns einzusperren, gehorcht der Nächsthohe dem Höhern. Ich hab geglaubt, du gehorchst dem Kalam... Du hast ihm nicht gehorcht. Gut. Dann sag mir, bist du nicht verzweifelt, du? Warum nicht?* Die «Antwort» Jans ist die der Seghers an sich selbst und an die Leser ihres Spätwerks, allerdings sonst nie so direkt auf die eigene Realität bezogen: *Vielleicht... weil ich ihm nicht gehorchte. Ich kann es dir nicht genau erklären. So schnell nicht. Du sprichst von unserer Idee. Wovon sprichst du? Von einem einzelnen Mann? In einem einzelnen*

Mann hab ich mich bös geirrt. Ich tät ihm einen Gefallen, wenn ich deshalb verzweifeln würde.[379] Das Problem und die Lösung liegen beim Individuum, dessen Integrität sich aber – wie auch das Böse in ihm – Erklärungen entzieht. Das Motiv der Sprachlosigkeit klingt wieder an. Die Fragen nach dem *Wer? Warum?*, nach den Zusammenhängen zwischen dem einzelnen und dem Ganzen, nach der Systematik der Erscheinungen, die zu mehr als einem Durchhalte-Appell führen könnte, bleiben offen. *Unsere Idee ist die beste, die Menschen sich jemals ausgedacht haben*[380], läßt Seghers Viktor sagen, abstrahiert diese Idee aber von den Menschen und ihrem Denken im historisch konkreten Augenblick und macht sie zu einer Religion, die zu verraten Heilsverlust bedeuten würde.

Der gerechte Richter drückt offener aus, was in anderen Texten der sechziger und siebziger Jahre verschlüsselt, aber unübersehbar zu lesen ist, ein tiefes Unbehagen an den bestehenden Verhältnissen in der DDR. Gleichzeitig aber feiert und fordert Seghers – wohl auch von sich selbst – eine Standhaftigkeit und einen Opfermut, die sich trotz alledem auf die Idee und deren sinnstiftende Kraft konzentrieren.

Eine für Seghers wesentliche Dimension der DDR, deren sie sich auf ihren Brasilien-Reisen noch einmal voll bewußt wurde, kommt in der 1971 veröffentlichten, aber bereits 1964 erwähnten Erzählung *Überfahrt* beispielhaft zur Darstellung. Die Geschichte spielt auf einer Schiffsreise von Brasilien nach Europa, die DDR ist jedoch der Bezugspunkt – als Heimat. Titel[381], Thematik, dialogische Erzählhaltung und eine Aura von unaufgelöstem Geheimnis erinnern nicht von ungefähr an *Transit*, obwohl Seghers es ablehnte, in *Überfahrt* ein *Gegenstück* zu ihrem großen Roman zu sehen.[382] Auch in der Geschichte berichtet ein Mann, der deutsche Tropenarzt Triebel, seinem zunächst uninteressierten Mitpassagier von einer großen Liebe – zur Jugendgefährtin Maria Luisa, mit der zusammen er im Exil in Brasilien aufwuchs, die ihm aber nicht folgen wollte oder konnte, als er in die SBZ/DDR zurückkehrte. Durch das Erzählen befreit sich Triebel von seiner Faszination für die Frau, deren weiteres Schicksal räselhaft bleibt. Das Sichere, Feste, so deutet Seghers mit ihrer Erzählung an, liegt nur in der Heimat. Sie ist sowohl geographische Region, die wie schon im *Siebten Kreuz* von Äpfeln – im Gegensatz zu den exotischen Früchten Brasiliens – symbolisiert wird, die Seghers aber nicht mehr wie die Rheingegend im Roman landschaftlich beschreibt, als auch sozialer Ort, die DDR. Mit ihren Opportunisten, ihren *Im-Stich-Lassern* und ihrem allgemein harten Leben kommt sie beiläufig und keineswegs idealisiert ins Bild. Doch scheint das Aufsichnehmen und Ertragen von Schwerem nun fast Selbstzweck zu werden, weil es Halt gibt. *In dieser sich ständig verändernden, weiterstrebenden Welt, in der wir jetzt leben, ist es*

Anna Seghers in ihrer Wohnung in Berlin-Adlershof, um 1978

gut, wenn etwas Festes in einem für immer erhalten bleibt, auch wenn das Feste ein unvergeßliches Leid ist [383], heißt es von Triebel.

In Seghers' Spätwerk spielt *das Feste*, das nun keineswegs immer mit eindeutig politischen Zielen verbunden ist – es kann in erster Linie um Kunst und Arbeit, wie in *Das wirkliche Blau* und *Die Reisebegegnung* gehen, oder wie in *Susi* um treue Liebe –, eine besonders wichtige Rolle. Dabei werden Opfer und Opfermut, häufig bei Frauen, als Wege der Selbstfindung derart stark hervorgehoben, daß einige der Texte, so *Die Trennung* in der letzten kleinen Erzählsammlung, *Drei Frauen aus Haiti* (1980), masochistische Züge annehmen. In dieser Erzählung läßt Seghers ihre Heldin Luisa, die nach Mißhandlungen in einem Gefängnis Haitis bis zur Unkenntlichkeit verstümmelt ist und den Geliebten an ein schönes junges Mädchen freigibt, zwar von Freude sprechen: *Hast du mir nicht selbst immer gesagt, man kann ohne Freude nicht leben?* [384] Woher ihre Freude aber stammen sollte, wird nicht erklärt. Luisa hat auch vor der Gefangennahme vergeblich auf den Geliebten gewartet, der aus dem Haiti «Bébé Doc» Duvaliers fliehen mußte. Schon damals heiratete er aus politischen Gründen eine andere. Es scheint, als seien Luisas Treue und ihre Leiden dafür selbst Ursprung der Freude, weil sie das Mädchen über ihr triviales, nur an sich interessiertes Leben hinausheben und an etwas Größeres binden. Auf rationale Erklärungen und genaue Motivation legt Seghers jedoch in den späten Erzählungen immer weniger Wert. Sie betont – wie in ihren frühen – das Unauflösbare und Unerklärliche an der Wirklichkeit und an den Menschen; die Akzente haben sich aber verschoben, im Vordergrund stehen nicht mehr wie vormals Aufbruch und Aufruhr, sondern Beständigkeit und Beharrungsvermögen. Die werden durch die Fabel und durch Schlußkommentare ausdrücklich belohnt und verklärt, selbst wenn die Belohnung schwer nachvollziehbar ist wie in *Die Trennung*.

Seghers berührte mit den Erzählungen und Erzählsammlungen, die sie von 1961 an veröffentlichte – *Das Licht auf dem Galgen* (1961), *Die Kraft der Schwachen* (1965), *Das wirkliche Blau* (1967), *Überfahrt* (1971), *Sonderbare Begegnungen* (1973), *Steinzeit. Wiederbegegnung* (1977) und *Drei Frauen aus Haiti* (1980) –, noch einmal und weitläufiger als je viele verschiedene Länder und Zeiten. Ihre Geschichten reichen von einem fernen Stern in *Sagen von Unirdischen* über Südamerika, Mexiko, Spanien, Frankreich und das Prag Kafkas bis nach Äthiopien. Die Zeiten gehen von *uralten* in *Tuomas beschenkt die Halbinsel Sorsa* zur unmittelbaren Gegenwart des Vietnam-Kriegs in *Steinzeit*. In *Die Reisebegegnung* schließlich hebt Seghers die Zeit auf und läßt die Dichter E. T. A. Hoffmann, Nikolaj Gogol und Franz Kafka einander im Prag des frühen 20. Jahrhunderts begegnen. Seghers unterstrich mit dieser Vielfalt einerseits das Paradigmatische an ihren Fabeln, die immer wieder um Opfer und Selbstfindung kreisen, andererseits demonstrierte sie noch einmal und verstärkt das Interesse, das sie an aktuellen Stoffen aus aller Welt hatte. Freilich vermied

1978: Anna Seghers wird Ehrenpräsidentin des Schriftstellerverbands der DDR.
Erich Honecker und (im Hintergrund) Hermann Kant gratulieren

sie dadurch auch einen allzu direkten Blick auf das eigene Land und die
unmittelbare Gegenwart darin.

In *Steinzeit* setzte sie sich mit dem Zeitereignis auseinander, das damals
für viele zum Sinnbild für amerikanischen Imperialismus und menschen-
mörderische Ausbeutung geworden war, dem Vietnam-Krieg. Sie nahm
den Befehl des amerikanischen Generals, *Vietnam zurückzubomben in
die Steinzeit* [385], zum Anlaß für eine Geschichte, in der diese Zerstörungs-
wut beispielhaft auf einen der amerikanischen Soldaten zurückfällt. Sein
Tod, einsamer Absturz in einer steinernen Bergwelt, ähnelt dem von Zillich in *Das Ende* insofern, als er in schroffem Gegensatz zu all jenen
Schlüssen bei Seghers steht, in denen Erinnerung, Überlieferung, Weitergabe einem sonst obskuren Leben, einem schrecklichen Tod Wert und
Bedeutung geben: *Hilsom strich die Worte, die die Begegnung* mit dem
Soldaten *schilderten… Als könne jemand in diesem Heft ihn doch noch
aufstöbern, löschte er jede Spur für jetzt und immer.* [386]

Kommunikation aber, menschliche und künstlerische, die eine Gemeinschaft stiftet, in der der einzelne über sich selbst hinausgehen und
damit sein wirkliches Ich, seinen festen Kern erst finden kann, ist dem
gesamten Seghersschen Werk und besonders den späten Erzählungen
zentrales Anliegen. In ihrer Gestaltungsweise kehrt die Autorin dabei

131

seit *Das wirkliche Blau* die romantischen, märchenhaften und phantastischen Tendenzen in ihrem Schaffen stark hervor. Kunst als besondere Kommunikationsform wird jetzt das Hauptthema in einer Reihe von Erzählungen. Die Autorin selbst nannte eine davon, die *Reisebegegnung*, eine *Literatur-Geschichte* und setzte sich darin noch einmal mit der *Frage: «Was ist Wirklichkeit?»* auseinander. Für die DDR programmatisch wiederholte sie ihre Ansicht, daß nicht nur *das Derb-Wirkliche. Das Sichtbare und das Greifbare,* sondern auch *Träume... zweifellos zur Wirklichkeit* gehörten.[387] Zehn Jahre nach der Kafka-Konferenz in Liblice gab Seghers ihrem Interesse an Kafka öffentlich Ausdruck, ließ den Dichter aber auch Selbstkritik an seiner *ausweglosen* Welt üben.

Weitere Kunst- und Künstlergeschichten sind die *Sagen von Unirdischen* und *Das wirkliche Blau.* In der letzteren Erzählung nahm Seghers wieder die Farbe auf, die Romantik und romantische Sehnsucht symbolisierte, verankerte sie aber in einem Handwerksberuf, der Töpferei. *Das Blau soll nicht nur einfach eine Farbe sein, das Blau, hinter dem er so wild her ist, ist viel mehr... Es ist materielle und geistige Wirklichkeit, die jeder von uns sucht* [388], erklärte sie zu dieser Erzählung. Einige Jahre nach der Einführung des «Neuen Ökonomischen Systems» in der DDR (es sollte zu einer strengen Durchrationalisierung von Industrie und Wirtschaft führen) mahnte sie damit zu einem Verständnis von – nicht nur künstlerischer – Arbeit, das menschliche Erfüllung suchte und gewährleistete, zeigte solche Möglichkeiten aber nur an einer vorindustriellen Gesellschaft. Man könnte auch versucht sein, in Worten wie den folgenden (aus dem Mund Benitos) eine Selbstbesinnung der Autorin zu sehen: *Im Grunde genommen war alles nur meine Schuld. Ich habe mir etwas aufdrängen lassen von dem verdammten Don Viktor. Warum? Aus Angst vor Not. Anstatt immer weiter zu suchen, zu suchen nach dem Blau, an dem mein Herz hängt, das Blau, das mir allein und wahrhaftig zusteht. Weil ich mich nicht daran hielt, ist mir so was Schlechtes geschehn.*[389]

Seghers' Alterswerk ist in der Tat eine erneute Suche *nach dem Blau... das mir allein und wahrhaftig zusteht,* nach dem Eigentümlichen ihrer Kunst und von Kunst überhaupt. In *Sagen von Unirdischen* finden Besucher von einem anderen Stern auf der Erde stets Krieg und Vernichtung, sie finden aber auch etwas, was sie nicht kennen und können – Kunst und Kunstwerke, die *die Schöpfung loben und die Menschen glücklich machen im Unglück* [390]. Sie erfahren, wie stark für den Künstler das *Bedürfnis ist, zu formen, was er sich vorstellte,* und daß er sich *auf diese Art ausdrücken mußte, gerade auf diese Art, bis zum letzten Atemzug*[391].

Man hat auch dem Werk der Seghers eine «ebenso großartige wie beklemmende Monotonie»[392] zugesprochen. Immer wieder beschwört sie in der Hingabe und im Opfer ihrer Helden und Heldinnen eine bessere Welt. Sie blieb überzeugt, daß der Sozialismus den Weg dahin wies, und glaubte, daß sie in der DDR die Anfänge einer solchen Welt erfuhr. Es war von der Hoffnung beflügeltes Wunschdenken, das im Alter ganz aufzugeben für sie Selbstverlust bedeutet hätte, sie brauchte *etwas Festes*. Je weniger Anlaß sie in der eigenen Wirklichkeit fand, an die Erfüllung dieser Hoffnung zu glauben, desto mehr zwang sie ihre Kunst, *Märchen für Erwachsene* zu erzählen, doch keine *schlimmen*, wie sie von Kafka gesagt hatte, sondern «schöne». Das Alterswerk zeigt die Spuren dieser Anstrengung in der außerordentlichen Lakonik der Sprache, der Vereinfachung komplexer gesellschaftlicher und politischer Zusammenhänge und der Tendenz, die Wahl des richtigen Weges plakativ deutlich zu belohnen.[393] In eigentümlichem Kontrast dazu besteht die Autorin aber weiterhin darauf, diesen Weg als quälerisch schwer zu zeichnen, was an Erzählungen wie *Wiederbegegnung* und *Die Trennung*, in denen Frauen im Mittelpunkt stehen, besonders deutlich hervortritt. Man kann in diesen späten Texten, extrem verfremdet, ein Stück Selbstdarstellung sehen.

Die letzten Jahre brachten Seghers zu den manchmal zum Kult ausartenden Ehrungen im Osten, die die alte Frau zur Ikone für die vorgebliche Einheit von Macht und Geist machten[394], auch westliche Auszeichnungen. 1977 erhielt sie, allerdings immer noch von Kontroversen begleitet, die Ehrenbürgerschaft der Universität Mainz, 1981 die der Stadt Mainz. Diese Zeit war jedoch vom Tod ihres Mannes 1978 und von zunehmender Gebrechlichkeit gezeichnet. Seghers litt an Gleichgewichtsstörungen, die noch auf den Unfall in Mexiko zurückgingen, und mußte sich zeitweilig mit Krücken fortbewegen. Nach eineinhalbjährigem Aufenthalt in einem Heim starb sie am 1. Juni 1983 im Alter von 83 Jahren. Sie hatte fast alle Gefährten aus dem Exil überlebt.

Anna Seghers wünschte, mit ihrem Werk die Zeitgeschichte Deutschlands nicht nur künstlerisch zu begleiten und zu interpretieren, sondern sie aktiv mitzugestalten, indem sie sich als Mensch und als Schriftstellerin politisch engagierte. Sie unterlag dabei der großen Gefahr jeder starken Überzeugung und duldete das Unrecht, das sie zu bekämpfen meinte, auf der eigenen Seite, um ihrer Idee zum Durchbruch zu verhelfen. Eine gesamtdeutsche Literaturgeschichte wird zwar Seghers' Anspruch und Leistung von nun an sehr kritisch beurteilen, kann sie aber weder übersehen noch vergessen. Seghers gehört mit ihren besten Werken zu den bedeutendsten Schriftstellerinnen des 20. Jahrhunderts in Deutschland. Es läßt sich aber auch nicht leugnen, daß sie dem hohen menschlichen und künstlerischen Standard, den sie selbst mit ihren Werken setzte, nicht immer genügte.

Die problematischen Aspekte ihres Lebens und Schreibens waren eng verbunden mit der Partei und dem Land, an die sie ihren Wunsch nach einer gerechten Welt knüpfte. Seghers' soziales und politisches Engagement trug zunächst bei zu ihrer künstlerischen Entwicklung, da es ihrem Talent wichtige Impulse und Themen lieferte. Wie wenigen anderen gelang es ihr, die Situation der Arbeiter und «kleinen Leute» in Deutsch-

Am 80. Geburtstag, 19. November 1980

land vor und während der Nazizeit und die Not und *Kraft der Schwachen* in aller Welt eindringlich zu gestalten. Ihre Entscheidung für die Kommunistische Partei verführte Seghers aber auch dazu, in ihren Werken und ihrer Publizistik zu schweigen, wo reden notwendig gewesen wäre, und so ihr Talent zu kompromittieren. Diese Entscheidung entsprang dem Bedürfnis, sich und ihre Kunst in den Dienst einer großen Sache zu stellen – so groß und verbindlich, wie es Juden- und Christentum einmal gewesen waren. Seghers wollte damit ankämpfen gegen die Gefühle von Wertlosigkeit und Vereinzelung unter den Menschen ihrer Zeit, für die sie als deutsche Jüdin besonders empfindlich war. Eine grundsätzliche Kritik an der Kommunistischen Partei – und deren DDR-Version, der SED – hätte diese Schreib- und damit Lebensgrundlage in Frage gestellt. Anna Seghers war nicht bereit, ein solches Risiko einzugehen, schon gar nicht im Alter, in der DDR. So nimmt sie in der deutschen Literatur einen wichtigen Platz als große Erzählerin ein, steht aber auch für die verhängnisvolle Verbindung von utopischer Hoffnung und politischem Kompromiß, in der viele Intellektuelle und Künstler des 20. Jahrhunderts letzte Zuflucht suchten.

Anmerkungen

1 *Erzählungen 1926–1944*. Berlin und Weimar 1981, S. 362

2 Christa Wolf: Lesen und Schreiben. Darmstadt und Neuwied 1972, S. 98

3 Vgl. für diese und die folgenden Angaben zur Familie das erste Kapitel von Jörg Bernhard Bilkes Inauguraldissertation: Die Revolutionsthematik in der frühen Prosa von Anna Seghers (1927–1932). Wiesbaden 1979

4 Hedwig Reiling wurde nach Piaski bei Lublin deportiert; die genauen Umstände ihres Todes sind bisher ungeklärt. Nach Angaben des Sohnes von Anna Seghers, Pierre Radvanyi, bemühte sich Seghers von Mexiko aus, ihre Mutter noch aus Deutschland zu retten, aber vergeblich.

5 *Erzählungen 1926–1944*, S. 360

6 *Interviews mit Achim Roscher 1973–1980*. In: «Neue deutsche Literatur», Oktober 1983, S. 69f.

7 Ebd., S. 69

8 Ebd.

9 Peter Roos/Friederike J. Hassauer-Roos: *Gespräch mit Anna Seghers*. In: Anna Seghers. Materialienbuch. Darmstadt und Neuwied 1977, S. 153

10 *Interviews mit Achim Roscher*, a. a. O., S. 69

11 *Erzählungen 1926–1944*, S. 332

12 *Aufsätze, Ansprachen, Essays 1954–1979* (im folgenden zitiert als *Aufsätze II*). Berlin und Weimar 1980, S. 204

13 Vgl. Bilke, a. a. O., S. 6f.

14 Friedrich Albrecht: Gespräch mit Pierre Radvanyi. In: «Sinn und Form», Mai/Juni 1990, S. 511

15 Zum Beispiel Martin Buber und Nelly Sachs

16 *Aufsätze, Ansprachen, Essays 1927–1953* (im folgenden *Aufsätze I*). Berlin und Weimar 1980, S. 246f.

17 Ebd., S. 156

18 *Christa Wolf spricht mit Anna Seghers*. In: *Aufsätze II*, S. 411

19 *Erzählungen 1963–1977*. Berlin und Weimar 1981, S. 513

20 Vgl. Bernhard Greiner: Literatur der DDR in neuer Sicht. Studien und Interpretationen. Frankfurt a. M. 1986, S. 57

21 *Aufsätze II*, S. 301

22 *Wie ich zur Literatur kam*. In: «Sinn und Form», Heft 6/1971, S. 1264

23 *Aufsätze II*, S. 412f.

24 Roos/Hassauer-Roos, a. a. O., S. 158

25 *Aufsätze II*, S. 199

26 *Aufsätze I*, S. 27

27 Erinnerung von Pierre Radvanyi

28 *Interviews mit Achim Roscher*, a. a. O., S. 73

29 Friedrich Albrecht: Gespräch mit Pierre Radvanyi, a. a. O., S. 516

30 *Aufsätze II*, S. 411

31 Nach Angaben Ruth Radvanyis die Höhere Mädchenschule in der Peterstr. 8

32 Das Frauenlobgymnasium, Adam-Karilon-Straße in Mainz

33 Roos/Hassauer-Roos, a. a. O., S. 153

34 Magdalena Herrmann. Vgl. Bilke, a. a. O., S. 11

35 Anna Seghers hatte nach Angaben von Pierre Radvanyi als Kind eine schwere Mittelohrentzündung, die es ihr nicht erlaubte, schwimmen zu ge-

hen, und die mitverantwortlich war für spätere Gesundheitsprobleme.

36 *Wie ich zur Literatur kam,*a. a. O.
37 *Interviews mit Achim Roscher,* a. a. O., S. 67
38 *Aufsätze II,* S. 202
39 *Interviews mit Achim Roscher,* a. a. O., S. 67
40 Vgl. Friedrich Albrecht: Gespräch mit Pierre Radvanyi, a. a. O., S. 513
41 *Gespräch mit Wilhelm Girnus.* In: *Aufsätze II,* S. 434
42 Roos/Hassauer-Roos, a. a. O., S. 153
43 Vgl. z. B. *Gespräch mit Wilhelm Girnus,* a. a. O., S. 432
44 Ebd., S. 432f.
45 Ebd.
46 Christa Wolf: Fortgesetzter Versuch. In: Über Anna Seghers. Ein Almanach zum 75. Geburtstag. Berlin und Weimar 1975, S. 132
47 *Gespräch mit Wilhelm Girnus,* a. a. O., S. 433
48 *Interviews mit Achim Roscher,* a. a. O., S. 62
49 *[Gruß an die Geburtsstadt, 1975].* In: *Über Kunstwerk und Wirklichkeit, Bd. IV,* hg. von Sigrid Bock. Berlin 1979, S. 129 (im folgenden zitiert als: *Kunstwerk und Wirklichkeit IV*)
50 *Briefe an Leser.* Berlin und Weimar 1970, S. 11
51 *Christa Wolf spricht mit Anna Seghers,* a. a. O., S. 415
52 *Das siebte Kreuz.* Darmstadt und Neuwied 1973, S. 9ff.
53 *Aufsätze I,* S. 35
54 Ebd., S. 316
55 *Aufsätze II,* S. 434
56 Ebd., S. 388 (*Erinnerungen an Philipp Schaeffer*)
57 *Wiedersehen mit den Gefährten.* In: *Über Kunstwerk und Wirklichkeit, Bd. II,* hg. von Sigrid Bock. Berlin 1971, S. 19 (im folgenden zitiert als: *Kunstwerk und Wirklichkeit II*)
58 *Aufsätze I,* S. 324
59 Zu den letzten Romanen, *Die Entscheidung* und *Das Vertrauen,* existieren im Seghers-Archiv seitenlange Kommentare ihres Mannes, die zeigen, wie sehr er auf eine logische, kla-

re Herausarbeitung der Themen und der Botschaft drang, und die seinen Einfluß künstlerisch fragwürdig erscheinen lassen.

60 *Kunstwerk und Wirklichkeit IV,* S. 151 (Brief vom 9. Oktober 1947 an Bruno Frei)
61 *Kunstwerk und Wirklichkeit II,* S. 19
62 *Aufsätze II,* S. 386 (*Erinnerungen an Philipp Schaeffer*)
63 Ebd., S. 387
64 Ebd., S. 388
65 Carl Zuckmayer: Als wär's ein Stück von mir. Frankfurt a. M. 1973, S. 242
66 Zitiert nach Janko Lavrin: Fjodor M. Dostojevskij. Reinbek 1965, S. 161
67 *Woher sie kommen, wohin sie gehen.* In: *Kunstwerk und Wirklichkeit II,* S. 182f.
68 *Aufsätze II,* S. 412
69 Ebd., S. 435
70 Christa Wolf: Lesen und Schreiben. Neue Sammlung. Darmstadt und Neuwied 1981, S. 134
71 *Kunstwerk und Wirklichkeit II,* S. 19
72 *Interviews mit Achim Roscher,* a. a. O., S. 62
73 *Erinnerungen an Philipp Schaeffer.* In: *Aufsätze II,* S. 387
74 *Interviews mit Achim Roscher,* a. a. O., S. 62
75 *Jude und Judentum im Werke Rembrandts.* Leipzig 1983, S. 53
76 Ebd., S. 26
77 Ebd., S. 55
78 Brief an Kurt Batt. Zitiert in: Kurt Batt: Anna Seghers. Leipzig 1980, S. 28
79 *Interviews mit Achim Roscher,* a. a. O., S. 62
80 Vgl. das Kapitel «Exil: Frankreich»
81 Jörg Bernhard Bilke und Sigrid Bock
82 Zitiert in: Christa Wolf: Bei Anna Seghers. In: Wolf, Lesen und Schreiben. Neue Sammlung, a. a. O., S. 144
83 Vgl. Gabriele Gerhard Sonnenberg: Marxistische Arbeiterbildung in der Weimarer Zeit. Köln 1976, S. 71ff.
84 Im Gespräch mit der Autorin meinte Seghers, eine Frau könne das doch besser.

85 *Aufsätze II*, S. 370

86 Zitiert nach Christa Wolf: Glauben an Irdisches. In: Wolf, Die Dimension des Autors. Berlin und Weimar, Bd. I, S. 294. Wolf scheint sich auf Tamara Motylowa (Anna Seghers, Moskau 1953) zu beziehen und eine freie Übersetzung eines dort auf S. 26 in russischer Sprache wiedergegebenen Zitats zu liefern.

87 *Aufsätze I*, S. 7

88 *Aufsätze II*, S. 303

89 Ebd.

90 *Erzählungen 1926–1944*, S. 66

91 Ebd., S. 113

92 Ebd., S. 76

93 *Aufsätze II*, S. 401

94 *Erzählungen 1926–1944*, S. 107

95 Kommunismus und Klasse. In: «Die Gesellschaft» 9, I (1932), S. 33

96 *Aufstand der Fischer von St. Barbara/Die Gefährten.* Darmstadt und Neuwied 1977, S. 21

97 Vgl. Frank Trommler: Sozialistische Literatur in Deutschland. Stuttgart 1976, S. 487

98 *Aufstand der Fischer von St. Barbara*, S. 7

99 Vgl. auch Johannes R. Becher: Partei und Intellektuelle. Nachgedruckt in: Zur Tradition der sozialistischen Literatur in Deutschland. Berlin 1967, bes. S. 127

100 In: «Die Rote Fahne», 9. Dezember 1928 (11. Jg., Nr. 290), 3. Beilage

101 Lebendige Erinnerung. In: «Neue deutsche Literatur», 26. Jg., Heft 11, November 1978, S. 49

102 Ebd.

103 Ebd., S. 50

104 *Aufsätze I*, S. 32f.

105 *Aufsätze II*, S. 150

106 *Aufsätze I*, S. 6

107 Vorwort zu *Die schönsten Sagen vom Räuber Woynok.* In: *Erzählungen 1926–1944*, S. 210

108 *Aufsätze II*, S. 391

109 Ebd., S. 378

110 *Über Kunstwerk und Wirklichkeit Bd. III*, hg. von Sigrid Bock. Berlin 1971, S. 11 (im folgenden zitiert als: *Kunstwerk und Wirklichkeit III*).

Vgl. vor allem Seghers' kleinen Aufsatz *Zwangsarbeiter?* (1932 für einen propagandistischen Sammelband «Rote Arbeit»)

111 *Der Prozeß.* In: «Die Linkskurve», Berlin 3 (1931), 1, S. 1–2

112 *Die Kriegsgefahr ist eine konkrete Gefahr.* In: *Kunstwerk und Wirklichkeit III*, S. 11

113 Bericht über die Tätigkeit des «Bundes proletarisch-revolutionärer Schriftsteller» im Jahre 1929. In: Zur Tradition der sozialistischen Literatur in Deutschland. Berlin 1967, S. 127 und 132

114 Der eine in Hermann Kestens Anthologie «24 neue deutsche Erzähler», der andere in der «Frankfurter Zeitung». Den einen nannte Seghers *Bruchstücke einer Erzählung,* den anderen «vergaß» sie (wie *Die Toten*) auch bei späteren Sammlungen.

115 *Aufsätze I*, S. 7

116 Ebd.

117 Ebd.

118 Vgl. Friedrich Albrecht: Die Erzählerin Anna Seghers 1926–1932. Berlin 1955, S. 191

119 Vgl. Wilhelm Krull: Schöne Märchen für Erwachsene. In: Anna Seghers. «text + kritik». München 1982, S. 96–114

120 «Die Linkskurve», 3/1931, S. 24f.

121 *Die Stoppuhr* existiert sowohl als Skizze wie auch als Anekdote

122 *Die Gefährten.* Darmstadt und Neuwied 1977, S. 189

123 *Aufsätze I*, S. 6

124 In: «Literaturblatt der Frankfurter Zeitung und Handelsblatt», 13. November 1932, S. 5

125 «Tägliche Rundschau», 24. April 1947, S. 3

126 Friedrich Albrecht: Gespräch mit Pierre Radvanyi, a. a. O., S. 512

127 *Aufsätze II*, S. 301

128 Ebd., S. 304

129 Vgl. Bertolt Brecht, Wahrnehmung: «Als ich wiederkehrte / War mein Haar noch nicht grau». In: Gesammelte Werke, Bd. 10. Frankfurt a. M. 1967, S. 960

130 *Six jours, six années.* In: «Europe», März 1938, S. 535ff. Auf deutsch in: «Neue deutsche Literatur», Heft 9/ 32. Jg., September 1984, S. 5–9; Zitat S. 7

131 Russischer Staatsverlag für belletristische Literatur

132 Brief vom 27. März 1939. In: *Kunstwerk und Wirklichkeit IV,* S. 138

133 Vgl. Dieter Schiller et al.: Exil in Frankreich. Leipzig 1981, S. 274ff.

134 Er wurde 1935 aufgelöst

135 Angaben der Frau Vladimir Pozners, der Schauspielerin Renate Bergk, die Seghers seit Berlin kannte, in Meudon in ihrer Nähe lebte und weiterhin mit ihr befreundet blieb.

136 Angaben von Pierre Radvanyi

137 *Aufsätze I,* S. 33–37

138 Ebd., S. 36f.

139 Ernst Bloch. In: Die Expressionismusdebatte. Materialien zu einer marxistischen Realismuskonzeption. Hg. von Hans-Jürgen Schmitt. Frankfurt a. M. 1973, S. 187. Vgl. auch die Einführung, S. 19f.

140 *Aufsätze I,* S. 79

141 Ebd., S. 75ff.

142 Ebd., S. 85

143 Ebd., S. 86

144 Ebd., S. 87f.

145 *Aufsätze II,* S. 98

146 Siehe Anm. 130. Die Skizzen stellten ihren Emigrantenalltag beispielhaft dar und waren vor allem für Franzosen bestimmt.

147 Ebd.

148 Ebd.

149 *Aufsätze II,* S. 307

150 *Briefe an Leser,* S. 12

151 *Der Kopflohn.* Darmstadt und Neuwied 1976, S. 52

152 In dem Roman *Das siebte Kreuz* und der Erzählung *Das Ende*

153 *Der Kopflohn,* S. 179

154 Vgl. Lutz Winckler: Diese Realität der Krisenzeit. In: Anna Seghers. «text + kritik», a. a. O., S. 4

155 In Ilja Ehrenburgs Aufsatz «Der Bürgerkrieg in Österreich» wurde Wallisch besonders hervorgehoben.

156 *Briefe an Leser,* S. 17f.

157 Ebd.

158 Vgl. *The Seventh Cross.* Afterword by Dorothy Rosenberg. New York 1987, S. 377, Fußnote 35

159 *Six jours, six années,* a. a. O.

160 *Erzählungen 1926–1944,* S. 206f.

161 *Der Weg durch den Februar.* Darmstadt und Neuwied 1980, S. 49

162 Ebd., S. 262

163 Ebd., S. 13

164 *Die Rettung.* Darmstadt und Neuwied 1977, S. 5

165 Ebd., S. 272

166 Ebd.

167 Ebd., S. 255f.

168 *Kunstwerk und Wirklichkeit III,* S. 40

169 *Erzählungen 1926–1944,* S. 210

170 *Aufsätze I,* S. 87

171 Walter Benjamin: Gesammelte Schriften, Bd. III. Frankfurt a. M. 1972, S. 536

172 *Kunstwerk und Wirklichkeit II,* S. 16

173 In: «Neues Deutschland», 21. September 1969, S. 1

174 Erika Haas: Der männliche Blick der Anna Seghers. In: Notizbuch 2. Berlin 1980, S. 134–149

175 *Die Rettung,* S. 127

176 Anna Seghers – Wieland Herzfelde. *Ein Briefwechsel 1939–1946.* Berlin und Weimar 1985, S. 114f.

177 *Wir denken an das Sowjetland.* In: *Kunstwerk und Wirklichkeit III,* S. 16f.

178 Vgl. David Pike: German Writers in Soviet Exile, 1933–1945. Chapel Hill 1982, S. 348

179 *Und jetzt muß man arbeiten. [Zum Kongreß]* In: *Aufsätze I,* S. 66f.

180 *Kunstwerk und Wirklichkeit II,* S. 16

181 Interview, erschienen im Mai 1943 in der mexikanischen Zeitung «Futuro». Deutsch in: «Sinn und Form», Heft 2/1986, S. 268–273, hier S. 272

182 Es gab dort vorübergehend ein Lager Osthofen

183 *Das siebte Kreuz.* Darmstadt und Neuwied 1973, S. 7

184 Ebd.

185 Wie zum Beispiel das Ehepaar Kreß. Ebd., S. 283

138

186 *Deutschland und wir.* In: *Aufsätze I,*
S. 94f.
187 Ebd., S. 94
188 *Aufsätze I,* S. 36
189 *Vaterlandsliebe.* In: *Aufsätze I,* S. 34
und 35
190 Ebd., S. 34
191 *Das siebte Kreuz,* S. 65
192 Ebd., S. 286
193 Bertolt Brecht: Gesammelte Werke,
Bd. 19. Frankfurt a. M. 1967, S. 325
194 *Aufsätze I,* S. 67
195 Genauere Details gibt Alexander
Stephan: «… ce livre a pour moi une
importance spéciale». In: «Exil», No.
2, 1985, bes. S. 13f.
196 *Kunstwerk und Wirklichkeit IV,* S.
200
197 Ebd.
198 Anna Seghers – Wieland Herzfelde,
a. a. O., S. 36
199 *Aufsätze II,* S. 439f.
200 Ebd., S. 275
201 Ebd., S. 11
202 Brief an J. R. Becher vom 27. März
1939. In: *Kunstwerk und Wirklichkeit
IV,* S. 138
203 Johannes R. Becher: Abschied. Berlin und Weimar 1945
204 Sie spricht einige Male von einem
Roman, *Die vorgetäuschte Hochzeit*
(oder auch *mariage blanc*), und von
einem kleinen Band, *Auf dem Dach
von Madrid,* und natürlich von ihrer
Erzählsammlung. Vgl. Anna Seghers
– Wieland Herzfelde, a. a. O., S. 30
und 35, sowie *Kunstwerk und Wirklichkeit IV,* S. 138f.
205 *Aufsätze I,* S. 36
206 *Das siebte Kreuz,* S. 39
207 *Aufsätze I,* S. 66f.
208 *Das siebte Kreuz,* S. 97
209 Ebd., S. 288
210 An Johannes R. Becher. In: *Kunstwerk und Wirklichkeit IV,* S. 138
211 Interview mit «Futuro», 1943; zit.
nach «Sinn und Form», a. a. O., S.
270
212 Anna Seghers – Wieland Herzfelde,
a. a. O., S. 32
213 Ebd.
214 9. Mai [1940]. Ebd., S. 36
215 Vgl. die detaillierten Angaben bei
Alexander Stephan: «… ce livre a
pour moi une importance spéciale»,
a. a. O.
216 Anna Seghers – Wieland Herzfelde,
a. a. O., S. 29f. Brief vom 1. September [1939]. Sigrid Bock gibt für den
Brief die Jahreszahl 1940 an, die jedoch vom Inhalt in Zusammenhang
mit anderen Briefen nicht richtig
sein kann (*Kunstwerk und Wirklichkeit IV,* S. 139f.).
217 25. Januar 1940. Anna Seghers –
Wieland Herzfelde, a. a. O., S. 34
218 *Transit.* Darmstadt und Neuwied
1977, S. 7f. Vgl. auch *Der Aufmarsch*
(1949). In: *Aufsätze II,* S. 310. Aussagen dazu: Z. B. *[über Ernst Weiß].*
In: *Aufsätze I,* S. 353f., oder das Interview mit John Stuart in: «New
Masses», Bd. 46, 16. Februar 1943, S.
22–23
219 *Kunstwerk und Wirklichkeit IV,* S. 96
220 Interview mit «Futuro», 1943; zit.
nach «Sinn und Form», a. a. O., S.
269
221 Materialienbuch, a. a. O., S. 157
222 Interview mit «Futuro», 1943; zit.
nach «Sinn und Form», a. a. O., S.
269
223 Ebd.
224 *Aufsätze II,* S. 253
225 *[Ein Brief].* In: *Aufsätze II,* S. 252–
254
226 Vgl. Friedrich Albrecht: Gespräch
mit Pierre Radvanyi, a. a. O., S. 522.
Auch Gespräch der Autorin mit
Pierre Radvanyi
227 Nach Angaben von Pierre Radvanyi
und Ruth Radvanyi. Sie sollte «a di-
sease of the central nervouse system» haben.
228 *[Ein Brief].* In: *Aufsätze II,* S. 254
229 Materialienbuch, a. a. O., S. 157
230 *Der Tag in Ellis Island.* In: *Kunstwerk und Wirklichkeit IV,* S. 125f.
231 1. Juni 1941, an Bodo Uhse. Zit. nach
Materialienbuch, a. a. O., S. 157
232 *Transit.* Übers. von James A. Galston. Boston; *Visado de tránsito.*
Übers. von Angela Sele und Anto-
nio Sánchez Barbudo. Mexiko.

233 Über Anna Seghers: Transit. In: Anna Seghers aus Mainz. Mainz 1973, S. 57

234 *Briefe an Leser*, a. a. O., S. 43

235 *Transit*, S. 143

236 Ebd., S. 6

237 Ebd., S. 186

238 Friedrich Albrecht: Gespräch mit Pierre Radvanyi, a. a. O., S. 517

239 *Transit*, S. 43

240 Ebd., S. 83

241 Ebd., S. 147

242 Ebd., S. 32

243 Ebd.

244 Ebd., S. 87 (vgl. dazu die Episode «Vor dem Gesetz» aus Kafkas «Der Prozeß»)

245 Ebd., S. 182

246 Ebd., S. 84

247 Vgl. ebd., S. 138

248 Ebd., S. 21

249 Ebd., S. 165

250 Ebd., S. 18f.

251 Ebd., S. 19

252 Ebd., S. 104

253 Ebd., S. 113

254 *Der Ausflug der toten Mädchen*. In: *Erzählungen 1926–1944*, S. 331. In ihren Briefen an Wieland Herzfelde (a. a. O., S. 49 und 51) spricht Seghers am 17. Dezember 1943 davon, daß die Geschichte *schon im großen und ganzen fertig* sei, am 27. März 1944 davon, daß sie sie abschicke.

255 *Der Ausflug der toten Mädchen*, a. a. O., S. 332

256 Auch die Vorbehalte gegen Mexiko in *Transit* stammen wahrscheinlich bereits aus Mexiko.

257 *Brief über ein Buch*. In: *Aufsätze II*, S. 341

258 *Gespräch mit Wilhelm Girnus*, a. a. O., S. 441f.

259 Der Sohn blieb für immer in Frankreich und ist heute Physiker. Die Tochter kehrte nach Deutschland zurück und arbeitete in der DDR als Ärztin.

260 Brief vom 27. März [1944] an Wieland Herzfelde, a. a. O., S. 51

261 Brief vom 29. Dezember 1944 an Wieland Herzfelde, a. a. O., S. 53

262 *Gespräch mit Wilhelm Girnus*, a. a. O., S. 442

263 Interview für die amerikanischen «New Masses» vom 16. Februar 1943. Zitiert nach der deutschen Übersetzung in: Exilforschung. Ein internationales Jahrbuch, Bd. 3, München 1985, S. 22f.

264 Brief an Johannes R. Becher vom 6. April 1946. In: «Neue deutsche Literatur» 15, Jg. 33 (1985), S. 7

265 Devisenbestimmungen beschränkten allerdings zunächst die Auszahlung. Vgl. dazu einen Brief von Anna Seghers vom 5. Oktober 1942 im Archiv von Little Brown in Boston

266 Vgl. Alexander Stephan: «Ich habe das Gefühl, ich bin in die Eiszeit geraten ...». In: «The Germanic Review», 1987, No. 3, S. 145

267 Brief vom 6. April 1946 an J. R. Becher, a. a. O., S. 7

268 Vgl. Fritz Pohle: Das mexikanische Exil. Stuttgart 1986, bes. S. 161–165

269 Wolfgang Kießling: Exil in Lateinamerika. Leipzig 1980, S. 275

270 *Abschied vom Heinrich-Heine-Klub*. In: *Aufsätze I*, S. 204

271 Als Gräfin Daubek in Kischs «Der Fall des Generalstabschefs Redl», am 10. Mai 1945

272 *Aufsätze I*, S. 158–162

273 *Pariser Brief: Quartier Latin* und *Es ist nichts so fein gesponnen ... Hardy*. In: *Kunstwerk und Wirklichkeit IV*, S. 33–36 und S. 262

274 Vgl. z. B. Bodo Uhse: Gestalten und Probleme. Berlin 1959, S. 47f.

275 Brief von Maxim Lieber an Angus Cameron vom 24. Februar 1944. Lieber zitiert ausführlich und wörtlich aus einem Brief von Anna Seghers, der «gerade angekommen» sei. Brief im Archiv von Little Brown in Boston

276 Brief vom 29. Dezember 1944 an Wieland Herzfelde, a. a. O., S. 53

277 Vermutlich von Anfang 1945, ebd., S. 54

278 Ebd., S. 46 und 47

279 Vgl. Marilyn Sibley Fries: Responses to Christa Wolf. Critical Essays.

Detroit 1989, S. 108–127
280 *Erzählungen 1926–1944,* S. 333
281 Ebd., S. 332
282 Ebd.
283 Ebd., S. 338
284 Vgl. dazu Robert Cohen: Die befohlene Aufgabe machen: Anna Seghers' Erzählung «Der Ausflug der toten Mädchen». In: «Monatshefte», 79/1987, No. 2, S. 186–198
285 *Erzählungen 1926–1944,* S. 340
286 Vgl. Kathleen J. La Bahn: Anna Seghers' Exile Literature. The Mexican Years (1941–1947). New York, Bern, Frankfurt a. M. 1986, S. 80–87
287 *Erzählungen 1926–1944,* S. 354f.
288 Ebd., S. 355
289 Ebd., S. 353
290 *Aufsätze I,* S. 94
291 Vgl. dazu Hans-Albert Walter: Deutsche Exilliteratur 1933–1950. Band 4: Exilpresse. Stuttgart 1978, S. 303
292 *Aufsätze I,* S. 92
293 Ebd., S. 91f.
294 Ebd., S. 95
295 Ebd., S. 96
296 Ebd., S. 95f.
297 *Erzählungen 1926–1944,* S. 321
298 Ebd., S. 316
299 Ebd., S. 319
300 *Aufsätze I,* S. 169f.
301 Ebd., S. 170
302 Brief an Nico Rost vom 9. Oktober 1947. Anna-Seghers-Archiv, Berlin
303 Brief an Georg Lukács vom 28. Juni 1948. In: *Kunstwerk und Wirklichkeit IV,* S. 153
304 Brief an Bruno Frei, 9. Oktober 1947. Ebd., S. 151
305 Friedrich Albrecht spricht von 80 Prozent der Schriftsteller, die nicht zurückkehrten. Gespräch mit Pierre Radvanyi, a. a. O., S. 525
306 Liselotte Thoms: Anna Seghers in Berlin. In: «Sonntag», 27. April 1947, S. 2
307 *Aufsätze I,* S. 198
308 Die Last der Widersprüche. In: «Weimarer Beiträge», 10/1990, S. 1563
309 *Aufsätze I,* S. 196f.
310 *Kunstwerk und Wirklichkeit IV,* S. 154
311 Bertolt Brecht: Arbeitsjournal, Bd. 2, hg. von Werner Hecht. Frankfurt a. M. 1973, S. 492f.
312 Vgl. Anneli Hartmann und Wolfram Eggeling: Zeitverschiebungen. In: Macht Apparat Literatur. Literatur und Stalinismus, hg. von Frauke Meyer-Gosau. München 1990, S. 29
313 An Bruno Frei, 9. Oktober 1947, a. a. O.
314 Ebd.
315 Vgl. Manfred Jäger: Kultur und Politik in der DDR. Köln 1982, S. 22
316 Vgl. aber dazu einen Brief an Lore Wolf vom 30. September 1946, in dem Seghers mit dem Gedanken spielt, zunächst in die alte Heimat, an den Rhein zurückzukehren. Zitiert in: Alexander Stephan, «Ich hab das Gefühl, ich bin in die Eiszeit geraten …», a. a. O.
317 Hermann Kant meinte im Gespräch mit der Autorin, sie sei etwas geizig gewesen.
318 *Kunstwerk und Wirklichkeit III,* S. 108
319 *Aufsätze II,* S. 82
320 *Kunstwerk und Wirklichkeit I,* S. 216
321 Vgl. Manfred Jäger, a. a. O., S. 70
322 Walter Janka berichtet, daß sie Merker sogar durch «dubiose Aussagen» belastet habe. Vgl. Walter Janka: Schwierigkeiten mit der Wahrheit. Reinbek 1989, S. 12
323 Vgl. dazu Jörg Bernhard Bilke: Auf den Spuren von Anna Seghers: Deutsche Kommunisten im mexikanischen Exil. In: «Die Horen», 19. Jg., Heft 1 (1974), S. 34
324 Zitiert bei Walter Janka, a. a. O., S. 91
325 Ruth Radvanyi: Meine Mutter war keine Heilige. In: «Sonntag» 19, 1990, S. 7; ebenso im Gespräch mit der Autorin
326 Bei ihrem ersten Zusammentreffen habe sie ihm stattdessen geraten, auf eine Parteihochschule zu gehen. Vgl. Walter Janka: Spuren eines Lebens. Berlin 1991, S. 446

327 *Kunstwerk und Wirklichkeit IV*, S. 166

328 Ebd., S. 152

329 *Kunstwerk und Wirklichkeit I*, S. 74

330 *Kunstwerk und Wirklichkeit III*, S. 108 und *Aufsätze II*, S. 82

331 *Aufsätze II*, S. 82

332 *Aufsätze I*, S. 331

333 *Die Rettung*, S. 6

334 Vgl. Dieter Schlenstedt: Die neuere DDR-Literatur und ihre Leser. München 1980, S. 60

335 Vgl. dazu Alexander Stephan: «Ich habe das Gefühl, ich bin in die Eiszeit geraten ...», a. a. O., S. 149

336 *Die Toten bleiben jung*. Darmstadt und Neuwied 1977, S. 451

337 Ebd., S. 375f.

338 *Aufsätze I*, S. 173

339 Vgl. Gertraud Gutzmann: Eurozentrisches Welt- und Menschenbild in Anna Seghers' *Karibischen Geschichten*. In: Frauen, Literatur, Politik. Hg. von Annegret Pelz et al. Hamburg 1988, S. 189–204

340 *Erzählungen 1952–1962*. Berlin und Weimar 1981, S. 252f.

341 *Aufsätze I*, S. 222. Daß Toussaint Louverture im Europa des frühen 19. Jahrhunderts nicht ganz so unbekannt war – man denke z. B. an das Gedicht Lord Byrons –, wußte Seghers offensichtlich nicht.

342 *Erzählungen 1952–1962*, S. 269

343 *Briefe an Leser*, S. 75

344 *Erzählungen 1952–1962*, S. 399

345 *Erzählungen 1945–1951*, S. 270

346 *Aufsätze I*, S. 266

347 Diese Erzählung wurde 1952 als erste veröffentlicht

348 Vgl. Ulrich Fries: Figurenkonzept und politische Argumentation in den Romanen «Die Entscheidung» und «Das Vertrauen». In: Anna Seghers. «text + kritik». München 1982

349 *Erzählungen 1945–1951*, S. 239

350 *Erzählungen 1952–1962*, S. 106

351 *Aufsätze I*, S. 427

352 *Aufsätze II*, S. 98

353 Ebd., S. 61

354 *Gespräch mit Wilhelm Girnus*. In: *Kunstwerk und Wirklichkeit III*, S. 32. Vgl. zu den folgenden Bemerkungen auch Gertraud Gutzmann: Zum Stellenwert des Spanischen Bürgerkriegs in Anna Seghers' Romanen «Die Entscheidung» und «Das Vertrauen». In: «Wen kümmert's, wer spricht». Köln und Wien 1991, S. 195–211

355 *Aufsätze II*, S. 400

356 *Die Entscheidung*. Darmstadt und Neuwied 1977, S. 10

357 Ebd., S. 414

358 *Erzählungen 1952–1962*, S. 219

359 Kurt Batt: Ein Ganzes und seine Teile. In: «Neue deutsche Literatur», Jg. 1971, H. 6, S. 74f.

360 *Aufsätze II*, S. 183

361 Ebd., S. 190

362 Christa Wolf: Die Dimension des Autors, Bd. I. Berlin und Weimar 1986, S. 343

363 Zur Beschäftigung Christa Wolfs mit Anna Seghers vgl. C. Zehl Romero: «Remembrance of Things Future»: On Establishing a Female Tradition. In: Marilyn Sibley Fries, a. a. O.

364 *Aufsätze II*, S. 321f.

365 Ebd., S. 322

366 Ebd., S. 321

367 Nach Angaben von Ruth Radvanyi

368 Von den anderen Geschichten finden zwei, *Das Schilfrohr* und *Der Treffpunkt*, ihren Abschluß in der ostdeutschen Nachkriegszeit, ohne sich allerdings wesentlich mit ihr auseinanderzusetzen. *Die Überfahrt*, in der Seghers die Eindrücke ihrer Brasilien-Reisen verarbeitet, haben die DDR als wichtigen Bezugspunkt, aber nicht als Hauptschauplatz.

369 *Erzählungen 1963–1977*, S. 334

370 *Das Vertrauen*. Darmstadt und Neuwied 1977, S. 211

371 Ebd., S. 173

372 Ebd., S. 105

373 Ebd., S. 200

374 Vgl. Gertraud Gutzmann: Zum Stellenwert des Spanischen Bürgerkriegs, a. a. O.

375 *Aufsätze II*, S. 450

376 *Erzählungen 1963–1977*, S. 120

377 Die Veröffentlichung 1990 im Mai/ Juni-Heft von «Sinn und Form» gibt 1957 als Entstehungsdatum an, der Aufbau-Verlag nennt 1957/58 für seine Herausgabe. Die Autorin sah 1987 im Seghers-Archiv eine undatierte, maschinengeschriebene Fassung und 1990 das erwähnte handgeschriebene Heft, ebenfalls ohne Datum.

378 *Der gerechte Richter.* Berlin und Weimar 1990, S. 56

379 Ebd., S. 53f.

380 Ebd., S. 18

381 Ursprünglich sollte die Erzählung *Die Früchte dieses Landes* heißen

382 *Aufsätze II,* S. 457

383 *Erzählungen 1963–1977,* S. 410

384 *Drei Frauen aus Haiti.* Berlin und Weimar 1980, S. 98

385 *Erzählungen 1963–1977,* S. 548

386 Ebd., S. 582

387 Ebd., S. 505

388 *Aufsätze II,* S. 462

389 *Erzählungen 1963–1977,* S. 199

390 Ebd., S. 427

391 Ebd., S. 432

392 Bernhard Greiner: Literatur der DDR in neuer Sicht. Frankfurt a. M. 1986, S. 57

393 Vgl. Ulrich Fries, a. a. O.

394 Ein Riesenbild von Honecker mit Seghers war noch beim Schriftstellerkongreß von 1987 Hintergrund des Podiums.

Zeittafel

1900 Netty Reiling wird am 19. November als einziges Kind von Hedwig (geb. Fuld) und Isidor Reiling in Mainz geboren

1920 Beginn des Studiums an der Universität Heidelberg. Hauptfächer Kunstgeschichte und Sinologie

1921 Ein Semester Universität Köln, Praktikum am Museum für ostasiatische Kunst

1924 Promoviert in Heidelberg über *Jude und Judentum im Werke Rembrandts*. Die erste Veröffentlichung, die Erzählung *Die Toten auf der Insel Djal*, erscheint unter dem Pseudonym Antje Seghers in der Weihnachtsbeilage der «Frankfurter Zeitung und Handelsblatt»

1925 10. August: Heirat mit dem ungarischen Juden und Kommunisten László Radványi (Parteiname Johann-Lorenz Schmidt); Umzug nach Berlin, wo László Leiter der Marxistischen Arbeiterschule (MASCH) wird

1926 29. April: Geburt des Sohnes Peter

1927 Die Erzählung *Grubetsch* erscheint in Fortsetzungen in der «Frankfurter Zeitung und Handelsblatt»

1928 28. Mai: Geburt der Tochter Ruth. Kleist-Preis (auf Vorschlag Hans Henny Jahnns, des Preisempfängers vom Vorjahr) für *Grubetsch* und die im selben Jahr erschienene erste Buchveröffentlichung *Aufstand der Fischer von St. Barbara*. Beitritt zur KPD

1929 Beitritt zum Bund Proletarisch-Revolutionärer Schriftsteller

1930 Teilnahme an der II. Konferenz Proletarisch-Revolutionärer Schriftsteller in Charkow (6.–15. November). *Auf dem Weg zur amerikanischen Botschaft*

1932 *Die Gefährten*

1933 Flucht über die Schweiz nach Frankreich. Redaktionsmitglied der «Neuen Deutschen Blätter», die von 1933 bis 1935 in Prag erscheinen. *Der Kopflohn*

1934 Reise nach Österreich

1935 Teilnahme am Internationalen Schriftstellerkongreß zur Verteidigung der Kultur in Paris (21.–25. Juni). *Der Weg durch den Februar*

1937 Teilnahme am Internationalen Schriftstellerkongreß in Valencia und Madrid (4.–7. Juli). *Die Rettung*

1939 Bei Kriegsausbruch Internierung ihres Mannes in Le Vernet. Abschluß von *Das siebte Kreuz*

1940 Im September Flucht aus dem besetzten Paris in den unbesetzten Süden Frankreichs. Winter in Pamiers. Tod des Vaters

1941 24. März: Verläßt auf dem Frachtdampfer «Lemerle» Marseille. 16. Juni: Ankunft auf Ellis Island in New York; Weiterreise über Kuba und Veracruz nach Mexico City. Mitbegründerin und Präsidentin des Heinrich-Heine-Klubs. Mitarbeit an der Zeitschrift «Freies Deutschland»

1942 *Das siebte Kreuz*
1943 Abschluß von *Transit*. 24. Juni: Schwerer Verkehrsunfall. Tod der Mutter im Konzentrationslager Auschwitz
1944 Abschluß von *Der Ausflug der toten Mädchen*
1947 Heimkehr über New York und Schweden. 22. April: Ankunft in Berlin. Verleihung des Büchner-Preises
1948 Erste deutschsprachige Ausgabe von *Transit*. April/Mai: Reise in die Sowjetunion
1949 Teilnahme am Weltfriedenskongreß in Paris (20.–25. April). *Die Hochzeit von Haiti* und *Die Toten bleiben jung*
1950 Mitglied des Weltfriedensrates und in den folgenden Jahren Teilnahme an vielen Kongressen
1951 Reise nach China. Nationalpreis der DDR. Stalin-Friedenspreis
1952 Vorsitzende des Schriftstellerverbandes der DDR. Rückkehr ihres Mannes aus Mexiko. Lesereise nach Bayreuth und München
1954 Reise in die Sowjetunion anläßlich des II. sowjetischen Schriftstellerkongresses. Studien im Tolstoj-Archiv
1957 Prozeß gegen Walter Janka und andere
1959 Ehrendoktor der Universität Jena. Nationalpreis der DDR. *Die Entscheidung*
1960 Vaterländischer Verdienstorden in Gold
1961 Schiffsreise nach Brasilien
1962 Lesereise nach Frankreich und in die Bundesrepublik Deutschland
1963 Erneute Brasilien-Reise. Teilnahme an der Kafka-Konferenz in Liblice/ČSSR (27./28. Mai)
1965 *Die Kraft der Schwachen*
1967 Mai: Teilnahme am 4. Allunionskongreß der sowjetischen Schriftsteller
1968 *Das Vertrauen*
1971 Nationalpreis der DDR. *Überfahrt*
1975 Kulturpreis des Weltfriedensrates. Ehrenbürgerin von Berlin/DDR. *Steinzeit*
1977 Schwere Krankheit. Ehrenbürgerschaft der Johannes-Gutenberg-Universität Mainz
1978 Rücktritt als Vorsitzende des Schriftstellerverbandes; wird Ehrenpräsidentin. Tod ihres Mannes
1980 *Drei Frauen aus Haiti*
1981 Ehrenbürgerschaft der Stadt Mainz
1983 1. Juni: Tod in Berlin

Zeugnisse

Walter Benjamin
Sie erzählt mit Pausen wie einer, der auf die berufenen Hörer im Stillen wartet und, um Zeit zu gewinnen, manchmal innehält. «Je später auf den Abend, desto schöner die Gäste.» Diese Spannung durchzieht das Buch. Es ist weit entfernt von der Promptheit der Reportage, die nicht viel nachfragt, an wen sie sich eigentlich wendet. Es ist ebenso weit entfernt vom Roman, der im Grunde nur an den Leser denkt. Die Stimme der Erzählerin hat nicht abgedankt. Viele Geschichten sind in das Buch eingesprengt, welche darin auf den Hörer warten.

«Eine Chronik der deutschen Arbeitslosen:
Zu Anna Seghers' Roman ‹Die Rettung›», 1938

Bertolt Brecht
Bei der Anna mußt wissen, wenn du denkst, sie redet mit dir, strickt sie an einem Roman, den sie grad unter hat, und ganz hinten, da, wo schon niemand mehr denkt, daß noch was ist, da arbeit's' an etwas Theoretischem, die Anna.

1952. Berichtet von Erwin Strittmatter in «Anna und ich», 1975

Günter Grass
Es darf nicht sein, daß Sie, die Sie bis heute vielen Menschen der Begriff aller Auflehnung gegen die Gewalt sind, dem Irrationalismus eines Gottfried Benn verfallen und die Gewalttätigkeit einer Diktatur verkennen, die sich mit Ihrem Traum vom Sozialismus und Kommunismus, den ich nicht träume, aber wie jeden Traum respektiere, notdürftig und dennoch geschickt verkleidet hat.

Vertrösten Sie mich nicht auf die Zukunft, die, wie Sie als Schriftstellerin wissen, in der Vergangenheit stündlich Auferstehung feiert; bleiben wir beim Heute, beim 14. August 1961. Heute stehen Alpträume als Panzer an der Leipziger Straße, bedrücken jeden Schlaf und bedrohen Bürger, indem sie Bürger schützen wollen. Heute ist es gefährlich, in Ihrem Staat zu leben, ist es unmöglich, Ihren Staat zu verlassen.

«Offener Brief an die Vorsitzende des
deutschen Schriftstellerverbandes», 1961

Christa Wolf
Sie zaubert. Bezaubert. Wie geht das zu: Zaubern in nüchterner Zeit? Indem sie sich selbst nicht gestattet, zu wissen, was sie da tut. Eine Ahnung davon sorgfältig vor sich versteckt. So weiß sie also und weiß nicht und wacht streng über alles: über die Dauer des Zaubers, seine Zusammensetzung und seine Wirkung, über Wissen und Nichtwissen und darüber, daß dies alles immer in der richtigen Mischung vor-

handen, der Vorrat immer aufgefüllt ist, die Anstrengung hinter dem schwebenden Gleichgewicht unbemerkt bleibt und wir also getrost und zu unserem Glück daran glauben können.

«Bei Anna Seghers», 1972

Erwin Strittmatter
Anna kann rührend hilflos sein, manchmal gezielt, manchmal gespielt und manchmal echt … Am hilflosesten aber sah ich Anna im Schweinestall ihrer Genossenschaft. Man erklärte ihr die Qualitäten der Sauen und die Gewichtigkeit des Ebers. Anna wandte sich hilfeheischend mir zu: «Allweil diese Mengen Schweine, findest nit auch? Immer diese Mäuler und diese Wackelei mit dene Schnäbel oder dene Rüssel da, gell?»

«Anna und ich», 1975

Kurt Batt
Es gibt im 20. Jahrhundert nur wenige deutsche Schriftsteller von Rang, die mit solcher Ausschließlichkeit wie Anna Seghers Erzähler sind und dabei die Möglichkeiten des Erzählens nach allen Seiten ausgeschritten haben. Roman und Novelle, Anekdote und Skizze, Sage und Märchen, da ist kaum ein Erzählgenre, dessen sie sich nicht bedient hätte – mit einer allerdings für ihre Persönlichkeit und ihr Schaffen charakteristischen Ausnahme: dem autobiographischen Bericht. Erzählen bedeutet für sie strikt das, was es seinem Wesen und seinem Ursprung nach ist: Geschichtenerzählen.

«Anna Seghers», 1980

Erika Haas
Alle Beobachtungen sprechen dafür, daß Anna Seghers, selbst zur Kampfgeneration für den Sozialismus gehörend, sich ganz auf den Einsatz für die neue Gesellschaft konzentriert, an der ebenfalls ausstehenden Veränderung des überkommenen Frauenbildes jedoch kein primäres Interesse zeigt. Das heißt, sie begnügt sich mit jener Fremdbestimmung der Frau, die dieser allenfalls den Platz an der Seite des Mannes einräumt.

«Der männliche Blick der Anna Seghers», 1980

Hans-Albert Walter
Für den jüdischen Kommunisten war er [der Kommunismus] der lebensrettende Deich, der ihn vom weltweit wachsenden Antisemitismus trennte. Verließ der kommunistische Jude diesen Schutzwall, so war er in jeder Hinsicht ein Schiffbrüchiger – seiner politischen Identität verlustig und mehr als das, nämlich ein Outcast, ein Verfemter…

Der Kommunismus von Anna Seghers sei Religionsersatz gewesen, wie hurtige Schreiber zu verkünden nicht müde werden? Gerade weil sie ihrer auch-religiösen Herkunft nicht hatte entfliehen können, hatte sie die einzige «Heimstatt» akzeptieren müssen, wie sie war – mit Stalin, mit Terror, mit dem ganzen Sumpf von Blut und Lüge, mit den lachhaften Doktrinen der Literaturtheoretiker à la Lukács, und schließlich auch noch mit den Verträgen. Denkbar weit entfernt von ihrem humanen Kommunismus, diese Wirklichkeit, und wer den hybriden Mut hat, Anna Seghers zu tadeln, weil sie nicht brach, der soll es tun.

«Zeitgeschichte, Psychologie des Exils und Mythos in Anna Seghers' Roman ‹Transit›», 1986

Marcel Reich-Ranicki
Im «Siebten Kreuz» findet sich der Satz: «Furcht, das ist, wenn eine bestimmte Vorstellung anfängt, alles andere zu überwuchern.» Warum hatte sie, gerade sie soviel Angst vor Ulbricht und seinen Vollstreckern? Was immer wir in Zukunft über Anna Seghers noch erfahren sollten, unsere Dankbarkeit für ihre besten Bücher hat davon unberührt zu bleiben.

«Nicht gedacht soll ihrer werden?», 1990

Walter Jens
Gerechtigkeit, mit Erbarmen vereint: Anna Seghers' Sozialismus im Roman und Essay undogmatisch und weit exemplifiziert, wartet darauf, im Zeichen von Glasnost couragiert und sorgsam neu bedacht zu werden – Schriftstellern zu Ehren, die in den Jahren des Nationalsozialismus zwischen Shanghai und New Mexico der Welt verdeutlichten, daß das Deutschland Goethes nicht in der Reichskanzlei, sondern in den Baracken von Buchenwald aufbewahrt werde.

«Anna Seghers», 1990

Heiner Müller
...
Jetzt sind Sie tot, Anna Seghers
was immer das heißen mag
Ihr Platz; wo Penelope schläft
Im Arm unabweislicher Freier
aber die toten Mädchen hängen an der
    Leine auf Ithaka
von Himmel geschwärzt, in den
    Augen die Schnäbel
während Odysseus die Brandung pflügt
am Bug von Atlantis

«Epitaph». Entstanden 1990, veröffentlicht 1992 in:
«Argonautenschiff. Hefte der Anna-Seghers-Gesellschaft»

Bibliographie

1. Bibliographien

BEHN-LIEBHERZ, MANFRED: Auswahlbibliographie zu Anna Seghers 1974–1981. In: «text + kritik», H. 38, 1983, S. 129–147

BILKE, JÖRG BERNHARD: Auswahlbibliographie zu Anna Seghers 1942–1972. In: «text + kritik» H. 38, 1973, S. 31–45

Internationale Bibliographie zur Geschichte der deutschen Literatur von den Anfängen bis zur Gegenwart. Gesamtredaktion von GÜNTER ALBRECHT und GÜNTHER DAHLKE. Teil 2,2. Berlin 1972, S. 547–554

ROST, MARITTA, und PETER WEBER: Veröffentlichungen von und über Anna Seghers. In: KURT BATT (Hg.): Über Anna Seghers. Ein Almanach zum 75. Geburtstag. Berlin und Weimar 1975, S. 305–410

2. Werke

a) Sammelausgaben

Gesammelte Werke in Einzelausgaben. 14 Bände. Berlin und Weimar 1977–1980 (bisher vollständigste Werkausgabe). Enthält: 1. Aufstand der Fischer von St. Barbara/Die Gefährten, 2. Der Kopflohn/Der Weg durch den Februar, 3. Die Rettung, 4. Das siebte Kreuz, 5. Transit, 6. Die Toten bleiben jung, 7. Die Entscheidung, 8. Das Vertrauen, 9. Erzählungen 1926–1944, 10. Erzählungen 1945–1951, 11. Erzählungen 1952–1962, 12. Erzählungen 1963–1977, 13. Aufsätze, Ansprachen, Essays 1927–1953, 14. Aufsätze, Ansprachen, Essays 1954–1979

Werke in zehn Bänden. Darmstadt und Neuwied 1977. Mit einem Nachwort von CHRISTA WOLF (enthält nicht alle bis 1977 veröffentlichten Romane und Erzählungen und keine theoretischen Schriften). Darin: 1. Aufstand der Fischer von St. Barbara/Die Gefährten, 2. Die Rettung, 3. Das siebte Kreuz, 4. Transit, 5./6. Die Toten bleiben jung, 7. Die Entscheidung, 8. Das Vertrauen, 9./10. Erzählungen

Der Bienenstock. Ausgew. Erzählungen in 2 Bänden. Berlin 1953 (= Gesammelte Werke in Einzelausgaben. Bd. 7, 8)

Glauben an Irdisches. Essays aus 4 Jahrzehnten. Hg. und Nachwort von CHRISTA WOLF. Leipzig 1969

Woher sie kommen, wohin sie gehen. Essays aus vier Jahrzehnten. Hg. von MANFRED BEHN. Vorwort von FRANK BENSELER. Darmstadt und Neuwied 1980

Über Kunstwerk und Wirklichkeit. Bd. I–IV. Hg. von SIGRID BOCK. Berlin 1970–1971 (Bd. I–III), 1979 (Bd. IV)

b) Erstveröffentlichungen

(Enthält nur die Dissertation, die Hörspiele und das erzählerische Werk. Für Angaben zur Erstveröffentlichung von theoretischen Aufsätzen, Essays und Reden siehe das chronologische Werkverzeichnis in: Über Kunstwerk und Wirklichkeit, Bd. IV, S. 255–277; außerdem die Angaben zur Erstveröffentlichung der abgedruckten Texte in: Aufsätze, Ansprachen, Essays, Bd. I und II.)

Die Toten auf der Insel Djal. Eine Sage aus dem Holländischen. Nacherzählt von Antje Seghers. In: «Frankfurter Zeitung und Handelsblatt», Weihnachten 1924

Jude und Judentum im Werke Rembrandts. Phil. Diss. Heidelberg 1924. Buchausgabe: Leipzig (Reclam) 1981

Grubetsch. In: «Frankfurter Zeitung und Handelsblatt», 10.–23. März 1927

Aufstand der Fischer von St. Barbara. Potsdam (Kiepenheuer) 1928

Die Wellblech-Hütte. Bruchstücke einer Erzählung. In: 24 neue deutsche Erzähler. Hg. von HERMANN KESTEN. Berlin (Kiepenheuer) 1929

Der letzte Mann der Höhle. In: «Frankfurter Zeitung und Handelsblatt», 22. Dezember 1929. S. 1. Neuabdruck in: Sinn und Form, 36 (1984) 2, S. 225–228

Auf dem Weg zur amerikanischen Botschaft und andere Erzählungen. Berlin (Kiepenheuer) 1930 (Enthält außerdem: Grubetsch, Die Ziegler, Bauern von Hruschowo)

Die Gefährten. Berlin (Kiepenheuer) 1932

1. Mai Yanschuhpou (gemeinsam mit SCHÜ YIN). In: «Die Rote Fahne», 1. Mai 1932

Der Führerschein. In: «Die Linkskurve», 4 (1932) 6, S. 35–36

Der Last-Berg. In: «Die Rote Fahne», 12. Januar 1933

Die Stoppuhr. Charkow und Kiew (Staatsverlag für nationale Minderheiten der UdSSR) 1933

Das Vaterunser (Unter dem Pseudonym Peter Conrad). In: «Internationale Literatur», 3 (1933) 4, S. 70–72

Der Kopflohn. Roman aus einem deutschen Dorf im Spätsommer 1932. Amsterdam (Querido) 1933

Das Viereck. In: «Unsere Zeit», 7 (1934) 9, S. 58

Der letzte Weg des Koloman Wallisch. In: «Neue Deutsche Blätter», 1 (1933/34) 10, S. 585–595

Der Weg durch den Februar. Paris (Éditions du Carrefour) 1935; und Moskau und Leningrad (Verlagsgemeinschaft ausländischer Arbeiter in der UdSSR) 1935

Die Rettung. Amsterdam (Querido) 1937

Der Prozeß der Jeanne d'Arc zu Rouen 1431. Ein Hörspiel. In: «Internationale Literatur», 7 (1937) 5, S. 74–90. Als Buch: Leipzig (Reclam) 1965

Wiedersehen. In: «Die neue Weltbühne», 34 (1938) 2, S. 51–54

Die schönsten Sagen vom Räuber Woynok. In: «Das Wort», 3 (1938) 6, S. 22–34

Sagen von Artemis. In: «Internationale Literatur», Moskau 8 (1938) 9, S. 43–57

Ein ganz langweiliges Zimmer. Ein Hörspiel. 1938 im flämischen Rundfunk gesendet. Erstdruck in: «Neue deutsche Literatur», 21 (1973) 5, S. 19–25

Six jours, six années. Pages de journal. In: «Europe» (1938) 188, S. 542–547. Nachdruck in: «Neue deutsche Literatur», 32 (1984) 9, S. 5–9

Reise ins Elfte Reich. In: «Die neue Weltbühne», 35 (1939) 3, S. 80–83

Das siebte Kreuz. In: «Internationale Literatur», 9 (1939) Heft 6: S. 22–34, Heft 7: S. 49–65, Heft 8: S. 8–25; dann hörte der Abdruck auf

Das Obdach. In: «Freies Deutschland», 1 (1941/42) 1, S. 21–22

The Seventh Cross. Translated from the German by JAMES A. GALSTON. Boston (Little, Brown and Co.) 1942

Das siebte Kreuz. México (El Libro Libre) 1942

Ein Mensch wird Nazi. In: «Freies Deutschland», 2 (1941/42) 4, S. 13–15

Transit. Translated from the German by JAMES A. GALSTON. Boston (Little, Brown and Co.) 1944. Erste deutsche Veröffentlichung: Konstanz (Weller) 1948

Der Ausflug der toten Mädchen und andere Erzählungen. New York (Aurora) [1946]. Enthält außerdem: Post ins gelobte Land, Das Ende

Die drei Bäume. In: «Neues Deutschland» (Mexiko), 5 (1946) 6, S. 12

Die Saboteure. In: Ausflug der toten Mädchen und andere Erzählungen. Berlin (Aufbau) 1948

Das Argonautenschiff. In: «Sinn und Form», 1 (1949) 6, S. 38–51

Die Hochzeit von Haiti. Zwei Novellen. Berlin (Aufbau) 1949. Enthält außerdem: Wiedereinführung der Sklaverei in Guadeloupe

Die Toten bleiben jung. Berlin (Aufbau) 1949

Die Linie. 3 Erzählungen. Berlin (Aufbau) 1950. Enthält außerdem: Die Kastanien, Die gerechte Verteilung

Crisanta. Mexikanische Novelle. Leipzig (Insel) 1951

Die Kinder. Drei Erzählungen. Berlin (Aufbau) 1951. Enthält: Die verlorenen Söhne, Das Obdach, Die Tochter der Delegierten.

Der Mann und sein Name. Berlin (Aufbau) 1952

Der erste Schritt. Berlin (Aufbau) 1953. Illustrationen von MAX LINGNER

Die Rückkehr. In: Der Bienenstock (siehe unter Sammelausgaben). Berlin (Aufbau) 1953

Friedensgeschichten. In: Der Bienenstock (siehe unter Sammelausgaben)

Brot und Salz. 3 Erzählungen. Enthält außerdem: Die Saboteure, Vierzig Jahre der Margarete Wolf. Berlin (Aufbau) 1958

Die Entscheidung. Berlin (Aufbau) 1959

Das Licht auf dem Galgen. In: «Sinn und Form», 12 (1960) 5/6, S. 663–756. Buchausgabe: Berlin (Aufbau) 1961

Die Kraft der Schwachen. Neun Erzählungen. Berlin (Aufbau) 1965. Enthält: Agathe Schweigert, Der Führer, Der Prophet, Das Schilfrohr, Wiedersehen, Das Duell, Susi, Tuomas beschenkt die Halbinsel Sorsa, Die Heimkehr des verlorenen Volkes

Das wirkliche Blau. Eine Geschichte aus Mexiko. Berlin und Weimar (Aufbau) 1967

Das Vertrauen. Berlin und Weimar (Aufbau) 1968

Überfahrt. Eine Liebesgeschichte. Berlin und Weimar (Aufbau) 1971

Sonderbare Begegnungen. Berlin und Weimar (Aufbau) 1973. Enthält: Sagen von Unirdischen, Der Treffpunkt, Die Reisebegegnung

Steinzeit. In: «Sinn und Form», 27 (1975) 4, S. 673–709

Steinzeit. Wiederbegegnung. Berlin und Weimar (Aufbau) 1977

Drei Frauen aus Haiti. Berlin und Weimar (Aufbau) 1980. Enthält: Das Versteck, Der Schlüssel, Die Trennung

Der gerechte Richter. In: «Sinn und Form», 42 (1990) 2, S. 479–501. Als Buch: Berlin und Weimar (Aufbau) 1990

c) Briefe

Briefe an Leser. Berlin und Weimar 1970
Anna Seghers – Wieland Herzfelde. Ein Briefwechsel 1939–1946. Berlin und Weimar 1985
Brief an Johannes R. Becher vom 6. August 1946. In: «Neue deutsche Literatur», 33 (1985) 5, S. 7f.
Briefe an F. C. Weiskopf. In: «Neue deutsche Literatur», 33 (1985) 11, S. 5–46
   Zahlreiche Briefe auch in: Über Kunstwerk und Wirklichkeit (siehe unter Sammelausgaben), besonders in Bd. IV

d) Interviews

Die größte Sammlung befindet sich in: Aufsätze, Ansprachen, Essays 1954–1979 (siehe unter Sammelausgaben). Darin abgedruckt: Gespräche mit Christa Wolf (1959 und 1965); Günter Caspar (1964, 1968, 1971, 1973, 1978); Hans Schaul (1966); Wilhelm Girnus (1967); Ilse Hörning (1970); Horst Simon (1973); Werner Neubert (1973); Heinz Plavius (1974).
Außerdem wichtig:

Interview with John Stuart. In: «New Masses», 16. Februar 1943, S. 22–23. Übersetzt von Alexander Stephan in: Exilforschung. Ein internationales Jahrbuch, Bd. 3 (1985), S. 252–257
Gespräch mit Anna Seghers. In: «Futuro» (Mexiko), Mai 1943. Gekürzte Rückübersetzung in «Sinn und Form», 38 (1986) 2, S. 268–273
Gespräch mit Anna Seghers. Geführt von Peter Roos und Friederike J. Hassauer-Roos. In: Anna Seghers. Materialienbuch. Darmstadt und Neuwied 1977, S. 152–160
Interviews mit Achim Roscher 1973–1980. In: «Neue deutsche Literatur», 31 (1983) 10, S. 61–75

3. Über Anna Seghers

a) Gesamtdarstellungen und Sammelbände

Argonautenschiff. Jahrbuch der Anna-Seghers-Gesellschaft Berlin und Mainz. Heft 1: Berlin und Weimar 1992. Heft 2: Berlin und Weimar 1993
BANGETER, LOWELL A.: The Bourgeois Proletarian. A Study of Anna Seghers. Bonn 1980
BATT, KURT: Anna Seghers. Versuch über Entwicklung und Werk. Leipzig 1973
BATT, KURT (Hg.): Über Anna Seghers. Ein Almanach zum 75. Geburtstag. Berlin und Weimar 1975
BRANDES, UTE: Anna Seghers. Berlin 1992
EIFLER, GÜNTER, und ANTON MARIA KEIM (Red.): Anna Seghers – Mainzer Weltliteratur. Beiträge aus Anlaß des 80. Geburtstags. Mainz 1981
HAAS, ERIKA: Ideologie und Mythos. Studien zur Erzählstruktur und Sprache im Werk von Anna Seghers. Stuttgart 1975
NEUGEBAUER, HEINZ: Anna Seghers. Leben und Werk. Berlin 1980 (= Schriftsteller der Gegenwart Bd. 4)
ROOS, PETER, und FRIEDERIKE J. HASSAUER-ROOS (Hg.): Anna Seghers. Materialienbuch. Darmstadt und Neuwied 1977 (Mit Beiträgen von PETER HÄRTLING,

Valentin Merkelbach, Frank Benseler, Dieter Heilbronn, Erika Haas, Werner Roggausch, Friederike J. Hassauer-Roos, Peter Roos, Klaus Sauer, Stephan Bock, Gerd Labroisse)

Sauer, Klaus: Anna Seghers. München 1978 (= Autorenbücher Bd. 9)

«text + kritik», Heft 38: Anna Seghers. München 1973 (Mit Beiträgen von Joachim Seyppel, Marcel Reich-Ranicki, Berold van der Auwera, Helgard Bruhns, Andreas W. Mytze, Jörg Bernhard Bilke)

Schrade, Andreas: Anna Seghers. Stuttgart 1993

«text + kritik», Heft 38 (Neufassung): Anna Seghers. München 1982 (Mit Beiträgen von Lutz Winckler, Jan Hans, Ulrich Fries, Manfred Behn-Liebherz, Wilhelm Krull, Egon Schwarz, Friederike Hassauer/Peter Roos)

Wagner, Frank: Anna Seghers. Leipzig 1980

b) Einzeluntersuchungen

Albrecht, Friedrich: Die Erzählerin Anna Seghers 1926–1932. Berlin 1965

–: Zwischen den Grenzpfählen der Wirklichkeit. Zur Todesproblematik bei Anna Seghers. In: «Weimarer Beiträge», 36 (1990) 10, S. 118–139

–: Gespräch mit Pierre Radvanyi. In: «Sinn und Form», 42 (1990) 3, S. 510–525

Albrecht, Friedrich, Wolfgang Emmerich, Martina Langemann, Elke Mehnert und Frank Wagner: «Der gerechte Richter» von Anna Seghers. In: «Weimarer Beiträge», 36 (1990) 11, S. 1793–1807

Arnold, Heinz Ludwig: Widerstand. Utopie. Macht. Anna Seghers: «Das Vertrauen». In: Verrat an der Kunst? Rückblicke auf die DDR-Literatur. Hg. von Karl Deiritz und Hannes Krauss. Berlin 1993, S. 160–166

Beicken, Peter: Eintritt in die Geschichte. Anna Seghers' Frauen als Avantgarde. In: «Die Horen», 26 (1981) 2, S. 79–91

Berkessel, Hans, u. a. (Red.): «Mainzer Geschichtsblätter», Heft 6: Frauenleben. Mainz 1990 (Mit Beiträgen über Anna Seghers von Hans Berkessel, Sigrid Bock und Alexander Stephan)

Bilke, Jörg B.: Auf der Suche nach Netty Reiling. In: «Blätter der Carl Zuckmayer-Gesellschaft», 6 (1980), S. 186–201

Bock, Sigrid: Die Last der Widersprüche. In: «Weimarer Beiträge», 36 (1990) 10, S. 1554–1571

–: Sprechen in Andeutungen. Bemerkungen zu Anna Seghers. In: Literatur der DDR: Rückblicke. Sonderband der Zeitschrift «text + kritik». München 1991, S. 72–84

Brandes, Ute (Hg.): Zwischen gestern und morgen. Schriftstellerinnen der DDR aus amerikanischer Sicht. Berlin 1992

Degemann, Christa: Anna Seghers in der westdeutschen Literaturkritik 1946–1983. Köln 1985

Diersen, Inge: Seghers-Studien. Interpretationen von Werken aus den Jahren 1926–1935. Berlin 1965

Greiner, Bernhard: «Sujet Barré» und Sprache des Begehrens. Die Autorschaft «Anna Seghers». In: Greiner: Literatur der DDR in neuer Sicht. Frankfurt a. M. 1986

Gutzmann, Gertraud: Eurozentrisches Welt- und Menschenbild in Anna Seghers' Karibischen Geschichten. In: Frauen, Literatur, Politik. Hg. von Annegret Pelz u. a. Hamburg 1988, S. 189–204

–: Zum Stellenwert des Spanischen Bürgerkriegs in Anna Seghers' Romanen «Die Entscheidung» und «Das Vertrauen». In: «Wen kümmert's, wer spricht». Zur Literatur und Kulturgeschichte von Frauen aus Ost und West. Hg. von Inge

STEPHAN, SIGRID WEIGEL und KERSTIN WILHELMS. Köln und Wien 1991, S. 195–211

–: Der lateinamerikanische Kontinent in Anna Seghers' publizistischen Schriften. In: «Neue Welt»/«Dritte Welt». Interkulturelle Beziehungen Deutschlands zu Lateinamerika und der Karibik. Hg. von SIGRID BAUSCHINGER und SUSAN L. COCALIS. Tübingen 1993

HAAS, ERIKA: Der männliche Blick der Anna Seghers. In: «Notizbuch» 2. Berlin 1980, S. 134–149

HILZINGER, SONJA: Die «Blaue Blume» und das «Wirkliche Blau». Zur Romantik-Rezeption in den Erzählungen «Das wirkliche Blau» und «Die Reisebegegnung» von Anna Seghers. In: «Literatur für Leser», 1988, S. 260–271

–: (Hg.): Das siebte Kreuz. Texte, Daten, Bilder. Darmstadt und Neuwied 1990

–: Im Spannungsfeld zwischen Exil und Heimkehr: Funktionen des Schreibens in der Novelle «Der Ausflug der toten Mädchen». In: «Weimarer Beiträge», 36 (1990) 10, S. 1572–1581

HOTZ, KARL: Anna Seghers, Der Ausflug der toten Mädchen. Materialien und Arbeitsvorschläge. Bamberg 1993

JENS, WALTER: Anna Seghers. In: «Sinn und Form», 42 (1990) 3, S. 1164–1169

LABAHN, KATHLEEN: Anna Seghers' Exile Literature. The Mexican Years (1941–1947). New York, Bern, Frankfurt a. M. 1986

MÖBIUS, REGINE: Flucht aus der Gegenwart oder: Was ist die wirkliche Wahrheit? Gespräch mit Friedrich Albrecht. In: «Börsenblatt für den deutschen Buchhandel», 15. Januar 1991, S. 162–167

RADVANYI, RUTH: Meine Mutter war keine Heilige. In: «Sonntag», Nr. 19/1990, S. 7

REICH-RANICKI, MARCEL: Nicht gedacht soll ihrer werden? In: «Frankfurter Allgemeine Zeitung», 21. Juli 1990

RIETZSCHEL, THOMAS: Last der Widersprüche. Anna Seghers im Zwielicht. In: «Frankfurter Allgemeine Zeitung», 4. April 1990

ROGGAUSCH, WERNER: Das Exilwerk von Anna Seghers. München 1979

SPIES, BERNHARD: Anna Seghers, Das siebte Kreuz. München 1993

STEPHAN, ALEXANDER: «… ce livre a pour moi une importance spéciale». In: «Exil», 5 (1985) 2, S. 12–24

–: Ein Exilroman als Bestseller. Anna Seghers' The Seventh Cross in den USA. In: «Exilforschung. Ein internationales Jahrbuch», Bd. 3, München 1985, S. 238–259

–: «Ich habe das Gefühl, ich bin in die Eiszeit geraten …» Zur Rückkehr von Anna Seghers aus dem Exil. In: «The Germanic Review», 1987, Heft 3, S. 143–152

–: Anna Seghers im Exil. Essays, Texte, Dokumente. Bonn 1993

–: Geschichte von unten. Täglicher Faschismus und Widerstand in Anna Seghers' Roman «Das siebte Kreuz». In: Wider den Faschismus. Exilliteratur als Geschichte. Hg. von SIGRID BAUSCHINGER und SUSAN L. COCALIS. Tübingen 1993, S. 191–219

STRAUB, MARTIN: Über den schwierigen Umgang mit der Zeitgeschichte: Zu Anna Seghers' Romanen «Die Entscheidung» und «Das Vertrauen». In: «Weimarer Beiträge», 36 (1990) 10, S. 143–152

WAGNER, FRANK: «… der Kurs auf die Realität». Das epische Werk von Anna Seghers (1935–1945). Berlin 1975

WALTER, HANS-ALBERT: Anna Seghers' Metamorphosen. «Transit». Erkundungsversuche in einem Labyrinth. Frankfurt a. M. 1984

–: Eine deutsche Chronik. Das Romanwerk von Anna Seghers aus den Jahren des Exils. In: Exil und Rückkehr. Hg. von ANTON MARIA KEIM. Mainz 1986, S. 85–119

–: Zeitgeschichte, Psychologie des Exils und Mythos in Anna Seghers' Roman «Transit». In: Deutschsprachiges Exil in Dänemark nach 1933. Hg. von RUTH DINESEN u. a. Kopenhagen 1986, S. 11–55

–: Anna Seghers. In: Es ist ein Weinen in der Welt. Hommage für deutsche Juden in der Welt. Hg. von HANS-JÜRGEN SCHULTZ. Stuttgart 1990, S. 407–429

WIRSING, SYBILLE: Leiden an der Dunkelheit. Eine unbekannte Erzählung von Anna Seghers. In: «Frankfurter Allgemeine Zeitung», 25. Juni 1990

WOLF, CHRISTA: Das siebte Kreuz (1963), Glauben an Irdisches (1968), Anmerkungen zu Geschichten (1970), Bei Anna Seghers (1970), Fortgesetzter Versuch (1974), Die Dissertation der Netty Reiling (1980), Zeitschichten (1983), Transit: Ortschaften (1985). In: WOLF: Die Dimension des Autors. Essays und Aufsätze, Reden und Gespräche 1959–1985. Darmstadt und Neuwied 1987

ZEHL ROMERO, CHRISTIANE: «Erinnerung an eine Zukunft». Anna Seghers, Christa Wolf und die Suche nach einer weiblichen Tradition des Schreibens in der DDR. In: «Wen kümmmert's, wer spricht». Zur Literatur und Kulturgeschichte von Frauen aus Ost und West. Hg. von INGE STEPHAN, SIGRID WEIGEL und KERSTIN WILHELMS. Köln und Wien 1991, S. 211–224

Namenregister

Die kursiv gesetzten Zahlen bezeichnen die Abbildungen

157

* Zur Schreibweise der ungarischen Namen: László Radványi hat im Laufe seines Lebens auf die originale Schreibweise (mit Akzenten) zunehmend verzichtet. Seine Kinder Pierre und Ruth benutzen den Nachnamen für sich durchgängig ohne Akzent.

Über die Autorin

Christiane Zehl Romero wurde 1937 in Wien geboren und studierte an der Wiener Universität Anglistik, Germanistik und Romanistik. Weitere Studien führten sie nach Paris und in die USA, an die Yale University. Sie ist die Verfasserin der Rowohlt-Monographie über Simone de Beauvoir und zahlreicher Aufsätze zur deutschen Literatur, vor allem zur DDR-Literatur. Sie ist auch als Herausgeberin tätig.
Seit 1975 lebt sie mit ihrer Familie in Boston, USA, wo sie Professorin für Germanistik und Leiterin des Department of German, Russian and Asian Languages and Literatures an der Tufts University ist.

Quellennachweis der Abbildungen

Luchterhand-Literaturverlag, Hamburg: 2

Akademie der Künste zu Berlin, Anna-Seghers-Archiv: 6, 14, 21, 43, 71, 83, 91, 92, 117, 121, 128; Erwin-Piscator-Center: 32 oben

Ruth Radvanyi, Berlin: 9, 11

Stadtarchiv Mainz: 13, 95

Bilderdienst Süddeutscher Verlag, München: 16, 19 oben, 29, 62/63, 77

Aus: Georg Lukács. Sein Leben in Bildern, Selbstzeugnissen und Dokumenten. Zusammengestellt von Éva Fekete und Éva Karádi. Stuttgart 1981: 19 unten (Magyar Munkásmozgalmi Múzeum), 42 (Magyar Távirati Iroda Képszolgálata), 51 (Lukács Archívum és Könyvtára)

Berlin-Dahlem, Gemäldegalerie: 23

Deutsche Bibliothek, Deutsche Bücherei Leipzig: 25, 37, 53

DRA, Rundfunkarchive Ost, Fotoarchiv, Berlin: 32 unten

Aufbau-Verlag, Berlin: 40

Aus: Anna Seghers Materialienbuch. Hg. von Peter Roos und Friederike J. Hassauer-Roos. Darmstadt und Neuwied 1977: 38

Ullstein Bilderdienst, Berlin: 44, 124

Pierre Radvanyi, Paris: 34, 47, 74, 90

Marta Feuchtwanger: 48

Aus: Widerstand statt Anpassung. Deutsche Kunst im Widerstand gegen den Faschismus 1933–1945. Katalog. Berlin 1980: 49

Aus: Deutsche Literaturgeschichte in Bildern. Leipzig 1971: 55 (Foto: Karl Haselau), 61 (J.-R.-Becher-Archiv der DAK)

Aus: Karl R. Stadler: Austria. New York – Washington 1971: 57 (Foto Hilscher)
Hainer Hill, Karlsruhe: 60
Stiftung Deutsche Kinemathek, Berlin: 65 (2)
Förderverein Projekt Osthofen: 67
Gertrud Heartfield: 69
Deutsche Bibliothek, Deutsches Exilarchiv 1933–1945, Frankfurt a. M.: 76, 88
Action Films SA, Paris: 79
Aus: Heines Geist in Mexiko. Hg. vom Heinrich-Heine-Klub. Mexiko 1946: 85
Aus: Wolfgang Kießling: Exil in Lateinamerika. Leipzig 1984: 86 (Ursula Amann, Dresden)
Aus: Ilse Splittmann und Karl Wilhelm Fricke (Hg.): 17. Juni 1953. Arbeiteraufstand in der DDR. Köln 1972: 97
ADN, Berlin: 99, 101, 110, 119, 131, 134
UPI: 102
Walter Janka, Kleinmachnow: 103
Rowohlt Verlag: 105
Deutsches Institut für Filmkunde, Frankfurt a. M.: 107 (2)
Harvard College Library: 113
Aus: Börsenblatt 103/104, 28. Dezember 1990, S. A502: 115
Aus Therese Hörnigk: Christa Wolf. Göttingen 1989: 123 (Foto: Klaus Morgenstern)